Orthopaedic Ultrasound

정형외과 초음파학

실전 초음파 영상

군자출판사

정형외과 초음파학

실전 초음파 영상

초판 1쇄 인쇄 | 2019년 4월 10일
초판 1쇄 발행 | 2019년 4월 17일

지 은 이 대한정형외과초음파학회
발 행 인 장주연
출 판 기 획 한수인
출 판 편 집 한수인
표 지 디 자 인 신지원
편 집 디 자 인 김수진
일 러 스 트 이일환
제   작 신상현
발 행 처 군자출판사(주)
         등록 제4-139호(1991. 6. 24)
         본사 (10881) 파주출판단지 경기도 파주시 회동길 338(서패동 474-1)
         전화 (031) 943-1888   팩스 (031) 955-9545
         www.koonja.co.kr

ISBN 979-11-5955-436-0

정가 100,000원

편찬위원회

- 편찬위원장   최창혁
- 공동 편찬위원장   박진영
- 감수   이광진, 김정만
- 편찬위원 간사   임태강, 손민수

	분과장	분과 간사	분과 편찬위원
총론 Introduction	송현석	김학준	김학준, 정웅교
견관절 Shoulder	최창혁	손민수	이제형, 장석환
주관절 Elbow			
완관절 Wrist	박진영	최인철	김영환, 이현일
수부 Hand			
척추 Spine	김태균	김대희	김창수, 선승덕
고관절 Hip	민경대	김필성	김동휘, 윤형문
슬관절 Knee			
족관절 Ankle	안재훈	박영욱	이기수, 제갈혁
족부 Foot			
소아 Pediatrics	이순혁	장우영	이순혁, 이시욱

집필진

김대희	광주 SKJ 병원
김동휘	조선대학교 의과대학 정형외과학교실
김영환	순천향대학교 부천병원 정형외과학교실
김정만	아산충무병원
김창수	고신대학교 의과대학 정형외과학교실
김태균	원광대학교 의과대학 정형외과학교실
김필성	부민병원
김학준	고려대학교 정형외과학교실
민경대	순천향대학교 부천병원 정형외과학교실
박영욱	아주대학교 의과대학 정형외과학교실
박진영	네온정형외과
선승덕	선정형외과
손민수	국립중앙의료원 정형외과학교실
송현석	가톨릭대학교 은평성모병원 정형외과학교실
안재훈	가톨릭대학교 서울성모병원 정형외과학교실
윤형문	세란병원
이광진	대전한국병원
이기수	충남대학교 의과대학 정형외과학교실
이순혁	고려대학교 정형외과학교실
이시욱	계명대학교 의과대학 정형외과학교실
이제형	네온정형외과
이현일	인제대학교 일산백병원 정형외과학교실
임태강	을지대학교 을지병원 정형외과학교실
장석환	인제대학교 서울백병원 정형외과학교실
장우영	고려대학교 정형외과학교실
정웅교	고려대학교 정형외과학교실
제갈혁	본본정형외과
최인철	고려대학교 정형외과학교실
최창혁	대구가톨릭대학교 정형외과학교실

발간사

대한정형외과초음파학회 회장 / 편찬위원장: 최창혁

정형외과 영역에서 초음파는 진단, 치료 및 수술 후 경과 관찰 등 진료의 전 영역에서 필수적인 장비로서 자리매김하고 있습니다. 정형외과 초음파학회는 2006년 창립된 이래, 현재 500여 명의 회원들의 적극적인 참여로 2019년 현재 13번째의 학술대회를 개최하였으며, 전공의, 전문의 초급/심화 과정 및 카데바 워크샵 등을 통해 명실상부하게 정형외과 영역의 초음파 학문 발전에 주도적인 역할을 하고 있습니다.

이제, 그간 축적된 경험과 학문적인 역량을 바탕으로 첫 번째 교과서를 만들게 되었습니다. 그간 상·하지 및 척추 등 정형외과 전반에 대한 20여 차례 이상의 워크샵을 통해 만들어진 영상집을 근간으로 하였으며, 실제 임상에서 가장 유용하게 이용될 수 있는 사용자 중심의 "실전 초음파학"으로서의 역할을 하게 될 것으로 기대합니다. 각 분과의 저자들은 풍부한 초음파 임상경험과 지식을 겸비한 해당분야의 전문가들로서, 초음파 영상의 실제 모습과 임상적 의의를 가장 정확하게 확인해 줄 수 있을 것으로 생각합니다. 따라서 정형외과 영역의 진료에 있어 본 교과서의 지침에 따라 초음파를 제대로 활용한다면, 환자들에게 치료의 신뢰도를 획기적으로 높일 수 있을 것으로 확신합니다.

본 교과서의 발간까지, 정형외과 초음파 학회를 설립하여 새로운 영역에 눈뜰 수 있게 해주신 이광진, 김정만 자문위원님, 그동안의 학회 발전을 이끌어 주신 역대 회장님, 그리고 소명감 하나로 불철주야 애쓴 손민수 간사, 임태강 총무님과 모든 저자분들의 노고에 다시 한 번 감사드립니다.

2019. 4.

추천사

대한정형외과초음파학회 전임회장 / 공동편찬위원장: 박진영

2006년 2월 10일, 대한골관절초음파연구회(대한정형외과초음파학회의 전신)를 만들기 위한 모임이 대전에서 있었습니다. 당시 대학병원의 초음파 사용은 영상의학과와 산부인과, 내과 심혈관 분과에서만 사용하고 있었고, 일부 정형외과 전문의들만이 초음파를 이용하고 있었습니다. 발기 모임 후 2개월 만에 건국대학교 병원에서 임원들의 초음파 교육을 위한 워크샵을 시행할 수 있었습니다.

이광진, 김정만 전임 회장님과 김광해 전임 부회장님께서는 근골격 분야에 초음파가 향후 내과의 청진기와 같은 역할을 할 것을 확신하시고 그해 6월 대한골관절초음파연구회 연수강좌를 새천년기념관에서 시행하였습니다. 2008년 11월 23일 연구회를 시작한 지 2년 반 만에 학회원의 뜨거운 호응과 격려로 대한정형외과 초음파학회의 학술대회와 심포지움을 개최할 수 있게 되었고, 그 후 학술지의 발간, 연 4회의 정형외과 회원을 위한 초급과 고급 과정의 워크샵과 정형외과 전공의를 위한 워크샵을 정형외과학회의 춘계학술대회에서 시행하였습니다. 지역사회의 교육을 위해 한 차례의 학술대회를 두 차례로 늘려 대전, 대구, 부산, 익산, 광주, 인천 등지에서 학술대회를 개최하면서 이제는 명실상부한 정형외과 전문의들이 절대로 익혀야 할 분야로 자리매김하였습니다.

대한정형외과학회에서도 초음파 교육이 전문의에 필요한 필수 항목임을 인식하여 2007년부터 전문의 시험에 초음파 문제를 출제하도록 고시위원회에 요청하였습니다. 이제는 많은 학회원이 초음파의 이론적인 지식과 실제 임상에서 초음파를 이용한 다양한 치료방법을 연구하여 명실상부하게 정형외과 영역의 초음파 학문 발전에 주도적인 역할을 하게 되었습니다.

그동안 학회에서는 회원들의 초음파 기록을 좀 더 정확하고 모든 의사가 이해할 수 있도록 교육을 해왔으며, 그에 대한 결실로 이 책이 발간되었습니다. 체계적이고 표준화된 초음파 검사는 정형외과 영역에서 초음파 활용도를 높일 것을 믿어 의심치 않으며, 벅찬 마음으로 이 책을 출판합니다.

2019. 4.

격려사

대한정형외과초음파학회 초대회장 / 감수: 이광진

대한정형외과초음파학회가 이제 지학(志學)의 나이를 앞둔 13세가 되었습니다. 정형외과의사에게 초음파는 내과의의 청진기처럼 필수가 될 것이라며 시작한 정형외과초음파학회는 초음파가 진단뿐 아니라 각종 치료 및 수술결과를 관찰하며 각종 신경차단술 등에 필수 장비로 이용되고 있는, 초음파 학문의 선진화를 가장 빠른 시간 내에 이룩한 기록을 가진 학회로 발전하고 있습니다.

이는 연 4회의 초급 및 심화과정 연수강좌 및 카데바 워크샵, 전공의를 위한 워크샵 등을 통하여 참여하신 회원들의 투철한 소명감, 뜨거운 열정, 치열한 노력과 학회의 전폭적인 지원이 이룩한 쾌거라 생각합니다.

이런 시기에 발맞추어 그간 축적된 경험과 학문적인 역량을 바탕으로 첫 번째 교과서 "정형외과 초음파학"을 발간하게 되어 초음파학회 회원 여러분과 함께 깊고 뜨거운 축하의 박수를 보냅니다.

특히 최창혁 現 회장님과 박진영 前 회장님, 민경대 학술위원장님, 임태강 총무님, 참여하신 모든 집필진에 깊은 감사와 힘드신 노고에 따뜻한 위로의 말씀을 드립니다.

이 소중한 교과서는 상·하지 및 척추, 정형외과 전반에 대하여 사용자 중심으로 기술한 실전 초음파학이라고 할 수 있습니다. 풍부한 임상경험과 지식을 겸비한 해당 분야 전문가가 초음파 영상과 임상적 의의를 가장 정확하게 기술하여 치료의 신뢰도 및 활용도를 획기적으로 높인 책이라고 생각합니다.

정형외과 전문의가 진단뿐 아니라 초음파를 이용하는 다양한 치료방법을 익히는 필독서가 되리라 기대합니다.

Real-time, dynamic 검사라는 초음파의 특징과 이를 각종 치료에 이용하고 신경차단술에 필수적인 수기로 환자와의 rapport building에도 크게 도움이 될 것이라 믿으며, 사지 및 척추의 해부학 지식이 깊은 모든 정형외과 전문의에겐 달리는 말에 날개를 다는 것 같은 역할을 할 것으로 믿습니다.

다시 한 번 기록적으로 빠른 시간 내에 축적된 지식을 촌음을 아껴 쓰며 출간하기까지 인고의 노력을 해 오신 여러분께 Madeline Bridges(1844~1920)의 시 한 구절을 위로의 말씀으로 전합니다.

"그러니 당신이 최상의 것을 세상에 주면 최상의 것이 당신에게 돌아올 것입니다. Then given to the world the best you have, and the best will come back to you."

2019. 3. 25

머리말

대한정형외과초음파학회 학술위원장: 민경대

대한정형외과 초음파학회 학술위원회에서는 12년 동안 춘, 추계학회 심포지움 그리고 22회의 워크샵을 통해 축적된 지식과 표준 영상을 부위별로 정리해 왔고 편찬위원회에서 이를 집대성하여 첫 표준 영상집을 내어놓음을 그동안 헌신해 온 전 학술위원들과 함께 기쁘게 생각합니다.

이 책은 초음파를 처음 시작하는 사용자들의 관점에서 빠른 시간 내에 정확하게 초음파 검사를 익힐 수 있도록 구성되었고, 초음파 검사자 간 다양한 영상 해석의 한계를 영상의 표준화를 통해 소통과 객관적 해석이 가능하게 하고자 기획되었습니다.

전체적인 구성은 기초적 이해를 위한 총론을 서두로 각 부위별 검사의 위치와 해부학적 그림을 대비하여 정상 초음파 소견을 쉽게 익힐 수 있도록 배치하였고, 부위별로 흔히 볼 수 있는 질환의 초음파 영상의 특징을 함께 수록하였습니다.

이 책을 효과적으로 이용하기 위해서는 먼저 초음파 장비와 영상을 이해하기 위한 필수적인 기초 총론을 필독하시고, 진료 시 초음파 장비 옆에 책을 두고 표준 영상을 따라 반복하여 익히는 것이 좋겠습니다.

"구슬이 서 말이라도 꿰어야 보배"라는 말과 같이 모쪼록 이 표준 영상집을 실제 검사 시 진료 현장에서 곁에 두시고 잘 활용하여 환자를 위한 진단과 치료에 도움이 되시기를 기원합니다.

2019. 4.

CONTENTS

1 총론 Introduction

■ ■ 송현석, 김학준, 정웅교

초음파를 이용한 진단 및 치료에 활용하기 위해서는 초음파 영상의 원리 및 기기 활용법을 이해하는 것이 도움이 됩니다.

01 초음파 영상의 원리와 이해(Principles of US image)

1. 음파

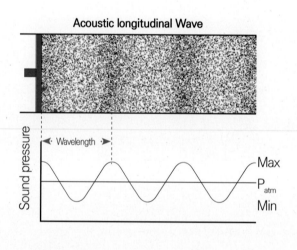

Acoustic longitudinal Wave

Fig 01. 초음파의 파형

- 정의: 물체의 진동이 균일하던 매질에 부분적으로 압력 변화를 일으켜 전달되는 기계적인 파동 에너지
- 음파의 전달: 빛과 달리 음파는 에너지를 전달시킬 수 있는 매개 물질(매질)이 필요하다(진공상태에서는 전달이 되지 않는다).

2. 초음파

☐ 인간이 들을 수 있는 가청 주파수 이상의 진동수를 가지는 음파
☐ 가청주파수: 20 Hz ~ 20,000 Hz
☐ 의료 진단용 초음파: 1 MHz ~ 20 MHz
☐ 진동수(frequency, Hz): 1초당 음파가 진동하는 횟수

3. 초음파의 영상의 구현

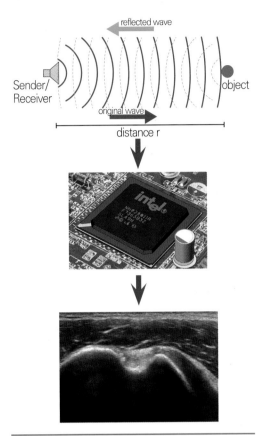

- 탐촉자(probe) 내의 압전 결정에 의해 전기 에너지가 기계적 진동으로 변환되어 초음파가 생성되어 전파

- 구조물에 반사되어 되돌아오는 초음파를 탐촉자가 인식

- 초음파의 강도 및 반사되어 되돌아 오는 강도와 시간 등을 컴퓨터가 처리하여 어둡고 밝은 gray scale의 영상으로 구성

Fig 02. 초음파 영상의 생성과정

4. 음파와 매질의 상호 작용

- □ 반사(reflection)
- □ 투과(transmission)
- □ 굴절(refraction)
- □ 흡수(absorption)
- □ 산란(scattering)

1) 반사

(1) 탐촉자에 의해 만들어진 초음파가 물체에 부딪쳐 되돌아 오는 것

(2) 반사에 따른 영상의 표현
- 반사가 많을 경우: 밝게 표현(hyperechoic)
- 반사가 적을 경우: 어둡게 표현(hypochoic)

(3) 물질에 수직으로 초음파가 전달되어야 많은 반사가 일어난다.

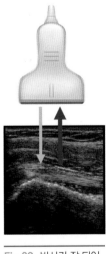
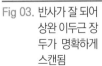
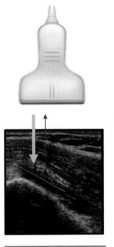

Fig 03. 반사가 잘 되어 상완 이두근 장두가 명확하게 스캔됨

Fig 04. 반사가 잘 되지 않아 상완 이두근 장두가 스캔 되지않음

2) 투과

(1) 초음파가 물체의 표면에서 일부는 반사되고 일부는 더 깊은 곳으로 전달되는 현상

(2) 주파수에 따른 투과의 정도

- 저주파: 투과가 많이 된다.
- 고주파: 투과가 적게 된다.

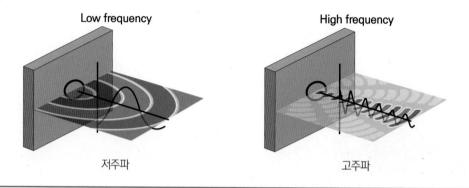

Fig 05. 초음파의 진행

3) 굴절

(1) 초음파가 성질이 다른 매질을 수직으로 입사하지 못할 경우에 방향이 바뀌게 되는 현상

(2) 실제 위치를 잘못 인식하게 한다.

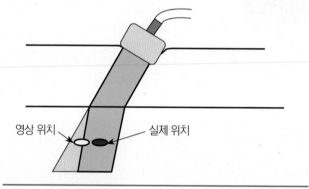

Fig 06. 초음파의 굴절 현상

4) 흡수

(1) 초음파가 물체를 통과할 때 마찰에 의해 일부가 열에너지로 변환되어 에너지가 소실되는 현상

(2) 흡수가 많이 일어나는 조건

- 주파수가 클수록
- 매질의 점도가 클수록
- 초음파의 진행 시간이 길수록(깊이가 깊을수록)

5) 산란

초음파가 편평하지 않은 물체에 전달되었을 때 표면에서 여러 방향으로 분산되는 현상

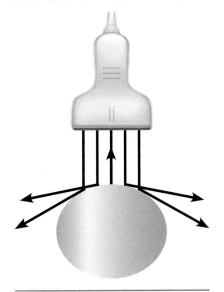

Fig 07. 초음파의 산란 현상

5. 인공물(artifact)

초음파 및 초음파 장비의 특성으로 발생하는 허상

☐ 음향 음영(acoustic shadowing)

☐ 음향 증강(acoustic enhancement)

☐ 잔향(reverberation)

☐ 비등방성(anisotrophy)

1) 음향 음영

(1) 반사율이 아주 높은 물체 후방에 초음파가 도달하지 못해 어둡게 나타나는 현상

(2) 석회 병변의 진단에 용이

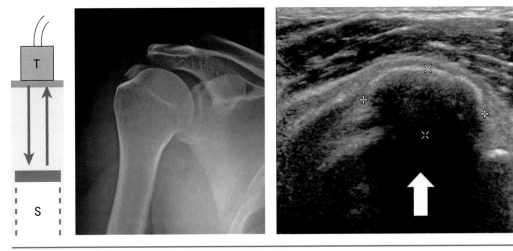

Fig 08. 석회성 건염 환자에서 관찰되는 음향 음영 현상(화살표)

2) 음향 증강

(1) 액체 성분을 가지고 있는 조직을 통과한 초음파는 에너지 소실이 상대적으로 적기 때문에 하방에 있는 조직이 주변 조직에 비해 밝게 화면에 표시되는 현상

(2) 낭종의 진단에 용이

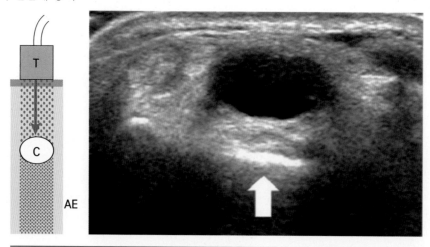

Fig 09. 결절종 환자에서 관찰되는 음향 증강 현상(화살표)

3) 잔향

(1) 단단하면서 매질의 경계가 분명한 이물질(foreign body)에 의해 생기는 인공물로서 음파가 금속이나 유리 내부 및 외부에서 반복적으로 반사되어 생기는 현상

(2) 혜성 꼬리 모양으로 음영이 반복됨

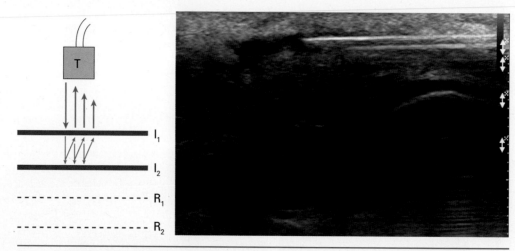

Fig 10. 주사바늘로 인한 잔향 현상

4) 비등방성

(1) 초음파가 구조물에 수직으로 입사되지 않았을 때 초음파의 반사가 줄어들어 저에코의 영상으로 나타나는 현상

(2) 정상 조직을 병적 상태로 오인할 수 있다.

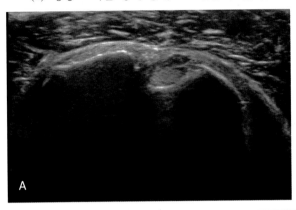 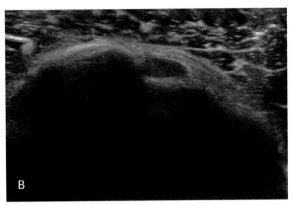

Fig 11. 상완 이두근 장두의 단축 초음파 영상

 KEY POINT

초음파가 수직으로 입사된 영상(A)에서는 상완 이두근 장두가 고에코 음영으로 관찰되나 초음파가 수직으로 입사되지 않은 영상(B)에서는 상완 이두근 장두의 음영이 관찰되지 않아 마치 건 파열로 오인될 수 있기 때문에 주의해야 한다.

02 초음파 유도하 시술의 원리(Principles of US-guided intervention)

☐ 관절내 주사요법(intraarticular injection)

☐ 낭종 흡입술(cyst aspiration)

☐ 건증 주사요법(tendinitis injection)

☐ 신경주위 주사요법(perineural injection)

☐ 신경 차단술(nerve block)

1. 초음파 유도하 시술에서 주목할 점(notice before intervention)

1) 해부학적 및 초음파적 소견에 대한 지식과 이해가 중요하다.

(1) 정상 해부학과 그에 대한 초음파적 소견을 이해한다.

(2) 시술과정에서 발생할 수 있는 합병증을 최소화하기 위한 노력이 필요하며 특히 신경-혈관의 위치와 초음파적 소견에 대한 이해가 필수적이다.

(3) 정상과 정상 변이(normal and normal variants)에 대하여 이해한다.

2) 먼저 정상 부위의 초음파 소견을 충분히 습득한 이후 병적 소견을 확인하고 이해하는 것이 중요하다.

3) 시술과정에서 초음파 영상을 통하여 주사바늘을 정확하게 파악하고 시술중 추적할 수 있어야 한다.

  (1) 시술과정에서 병변부위에 가장 용이하게 접근할 수 있는 바늘의 삽입 위치와 진입각도를 설정한다.

  (2) 시술과정에서 바늘을 정확하게 추적 관찰하면서 시술에 방해가 되지 않게 하는 탐촉자의 위치를 설정한다.

4) 시술전 바늘이나 기구가 삽입되는 피부 부위에 대한 철저한 소독 및 장비의 무균 처치를 통하여 시술과정이 전반적으로 무균적으로 시행되는 것이 중요하다.

5) 일부 환자의 경우, 주사기 혹은 바늘로 인한 공포감에 의해 미주신경 반응이 나타나는 경우가 있기 때문에 시술의 사전 준비과정에서 이러한 주사기 및 바늘을 환자가 보지 못하도록 준비하는 것이 도움이 된다.

6) 사전에 시술에 대한 충분한 설명을 제공하는 것이 중요하다.

2. 주사바늘의 굵기와 길이

1) 주사바늘의 굵기

  (1) 신경차단술, 스테로이드 주사요법: 21~26 G

  (2) 흡입(결절종, 혈종, 세균성 관절염): 18 G(종종 18 G 이상으로 두꺼운 굵기 사용)

2) 주사바늘의 길이

  7~10 cm spinal needle(고관절, 척추, 좌골신경)

3. Approach

  ☐ In-plane approach

  ☐ Out-of-plane approach

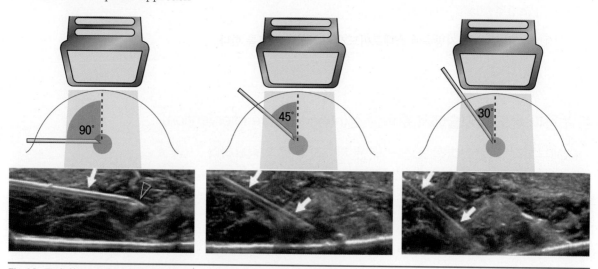

Fig 12. 주사바늘과 초음파 탐촉자(probe)가 평행할수록 주사바늘이 잘 관찰된다.

1) In-plane technique

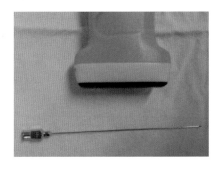 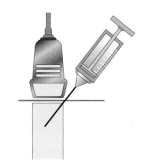 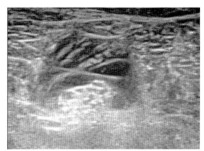

2) Out-of-plane technique

  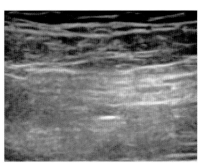

3) 스테로이드 주사요법(steroid injection)

(1) 스테로이드 국소 주사요법의 발생 가능한 부작용

① 피부 위축, 지방 괴사, 피부 탈색(methylprednisolone 〈triamcinolone, dexamethasone)

② 스테로이드 결정(crystal)에 의한 2차 활액막염의 발생

③ 주사부위의 발적(flushing)

④ 건 내 스테로이드 주사로 인한 건 파열

⑤ 당뇨환자에서의 혈당조절의 일시적 장애

(2) 스테로이드 국소 주사요법의 부작용을 줄이기 위한 노력

① 피부 또는 피하지방층에 스테로이드가 주입되지 않도록 한다.

② 생리식염수 또는 국소마취제를 혼합하여 사용한다.

③ 주사요법 이후 관절의 움직임을 일시적으로 제한한다.

4) 신경차단술에 사용되는 마취제

(1) 고려사항

① 작용속도(time to onset)

② 지속시간(duration of action)

③ 안정성(safety profile)

(2) 국소 마취제의 종류

① Lidocaine: 속효성(rapid onset)

② Bupivacaine

　　　i) 14~18시간 지속 효과

　　　ii) 심혈관계 독성 위험(부정맥 혹은 심장 독성)

　　③ Mepivacaine: Bupivacaine에 비하여 빠른 효과와 지속시간

　　④ Ropivacaine

　　　i) 16~19시간 지속 효과

　　　ii) 마취특성: 감각 > 운동

　　　iii) Bupivacaine에 비하여 심혈관계에 보다 안전

　　⑤ Levobupivacaine: 심혈관계와 중추신경계에 가장 안전

5) 신경차단술을 위한 마취제의 용량

(1) 권장용량(recommended dosage)

　　① 1 % lidocaine 20 ml + 0.75 % ropivacaine 20 ml (1:1)

　　② 40~60 ml

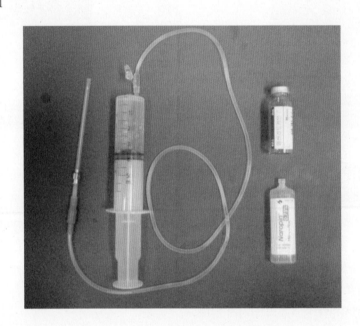

초음파 기기 조작법(Control of ultrasound machine)

🔽 KEY POINT

최적의 초음파 영상을 얻기 위해서는 영상을 조절하는 여러 요소를 적절히 설정해야 한다.
고려해야 할 요소로는 깊이(depth), 초점(focus), 증강(gain), TGC (time gain compensation), frame rate,
dynamic range 등이 있다.

1. 초음파 화면의 구성

촬영된 초음파 영상만 보면 어떤 조건으로 촬영이 되었는지 알 수 있다.

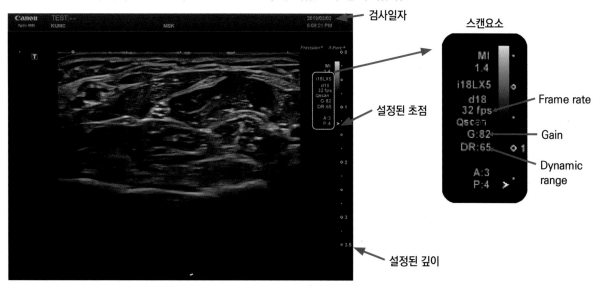

Fig 13. 초음파 화면의 구성

1) 깊이(depth)의 조절

가장 먼저 조절해야 하는 요소로 관찰하고자 하는 구조가 화면의 중간 혹은 약간 위에 위치하게 설정하는
것이 좋다.

☐ 전완부의 정중 신경의 단축 영상

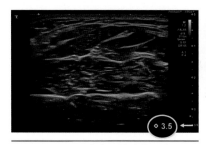

Fig 14. 3.5 cm 깊이로 설정된 스캔으로
적절한 영상을 얻을 수 있다.

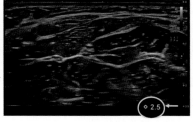

Fig 15. 2.5 cm 깊이로 설정된 스캔으로
구조가 약간 확대되었고, 영상의 영역
일부가 잘려 있다.

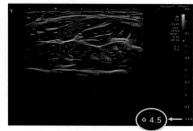

Fig 16. 4.5 cm 깊이로 설정된 스캔으로
구조가 축소되어 관찰이 어렵다.

2) 초점(focus)의 조절

(1) 인접된 다른 구조를 구분하는 외측 분해능(lateral resolution)과 관계 있으며, 관찰하고자 하는 구조와 같은 깊이 혹은 약간 아래에 위치시킨다.

(2) 초점이 위치하는 깊이의 영상이 가장 밝고 선명하게 스캔된다.

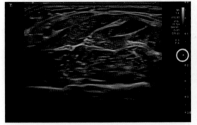
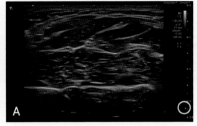
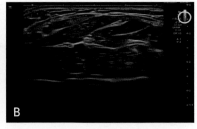

Fig 17. 적절한 초점 설정으로 정중 신경을 잘 관찰할 수 있다.

Fig 18. 부적절한 초점 설정으로 관찰하고자 하는 정중 신경이 흐리게 스캔되었다.

3) 증강(gain)의 조절

화면의 전체적인 밝기를 조절하며, 밝기가 너무 어두우면 작은 병변을 놓칠 수가 있고, 너무 밝게 설정하면 과도하게 증폭된 신호로 강한 노이즈가 많이 발생하게 되어 오히려 진단에 방해가 된다.

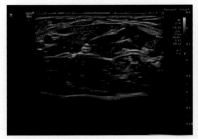

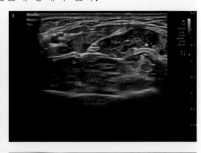

Fig 19. 적절한 증강 설정

Fig 20. 약한 증강 설정

Fig 21. 과도한 증강 설정

4) TGC (time gain compensation) 조절

회사에 따라 STC (sensitivity time control)로 명명되기도 한다. 초음파는 심부로 진행할수록 감쇄가 발생하므로 깊이에 따라 적절한 정도로 설정해 놓아야 한다. 증강(gain) 기능에 비해 깊이에 따른 세밀한 밝기 조절이 가능하다.

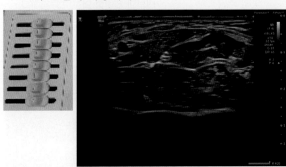

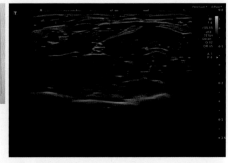

Fig 22. 깊이에 따른 적절한 TGC 설정

Fig 23. TGC 설정이 제대로 되어 있지 않은 경우

5) Frame rate 조절

시간에 따른 해상도를 구분하는 시간 분해능(temporal resolution)과 관계되고 이에 따라 실제 움직임에 대한 동영상에 구현 정도가 변화된다. Frame rate가 높아지면 움직임을 끊김이 없이 관찰할 수 있으나, 측면 분해능이 감소한다. 근골격 초음파는 대략 30 fps (frame per second) 정도로 설정하면 무리가 없다.

□ 수근관 부위에서 정중 신경의 단축 영상

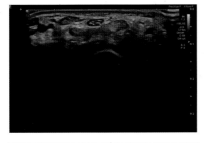
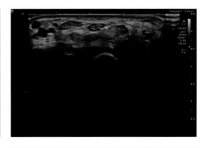

Fig 24. Frame rate가 32 fps로 설정된 영상

Fig 25. Frame rate가 26 fps로 설정된 영상으로 측면분해능은 증가하나 동적 검사 시 반응이 즉각적이지 않다.

Fig 26. Frame rate가 42 fps로 설정된 영상으로 측면분해능이 감소하여 정중 신경이 흐릿하게 스캔되었다.

6) Dynamic range (DR)의 조절

Dynamic range (DR)는 gray scale 영상의 범위를 조절하는 것으로, 대조 분해능(contrast resolution)과 관련이 있다. 범위가 작으면 대조는 증가하나 조직 사이의 구분이 힘들어진다. 반대로 큰 설정은 흑백 차를 너무 세분화하게 되므로 많은 정보를 얻을 수 있지만 대조가 줄어들어 오히려 병변의 구분을 어렵게 한다.

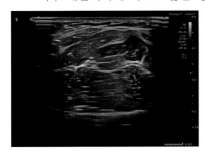
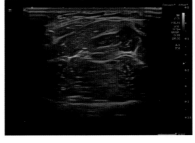
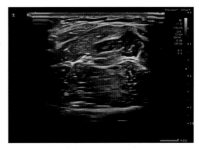

Fig 27. DR이 65로 설정된 영상

Fig 28. DR이 88로 설정된 영상으로 조직 사이의 대조가 감소해 구분이 어렵다.

Fig 29. DR이 50으로 설정된 영상으로 조직 사이의 구분은 명확하나 조직 내부의 세밀한 영상이 부족하다.

2 견관절 Shoulder

P A R T

■■ 최창혁, 손민수, 이제형, 장석환

견관절의 초음파 검사는 어깨의 전방(anterior)에서부터 외측(lateral), 후방(posterior), 상방(superior)으로 이루어진 구획 별로 순차적으로 진행하며 각 구획 별 해부학적 순서대로 확인하게 됩니다. 각 부위의 정상 및 비정상소견을 확인하고 초음파 유도하 시술까지 익힐 수 있도록 구성되어 있습니다.

01 상완 이두근 장두(Long head of biceps brachii)

1) 검사 자세

(1) 팔의 자세

① 어깨는 중립위 또는 약간 내회전
② 전완부는 회외전 상태를 유지하여
③ 대퇴부에 손을 편하게 올려둔다.

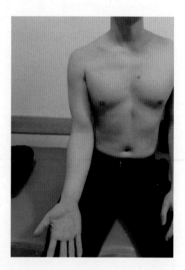

 KEY POINT

이러한 팔의 자세를 취함으로써 상완 이두근 장두(long head of biceps brachii)가 어깨의 전방으로 위치하도록 한다. 간혹 개인마다 상완 이두근 장두의 위치가 다를 수 있어, 견관절을 약간 내회전 또는 외회전 시켜 전방에 위치하도록 한다.

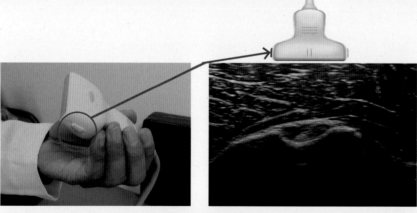

 KEY POINT

초음파 탐촉자의 방향과 위치(probe orientation)
초음파 탐촉자의 측면에 위치한 방향 표지자(orientation marker)를 이용하여 화면에서의 영상의 방향과 해부학적 구조물의 방향을 설정하는 데 도움이 된다.

2) 정상 소견

(1) 단축 영상(short-axis)

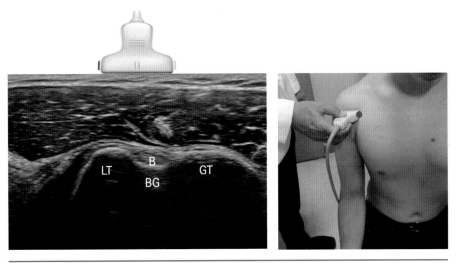

Fig 01. US image of short-axis of long head of biceps brachii.

B, long head of biceps brachii; GT, greater tuberosity; LT, lesser tuberosity; BG, bicipital groove.

(2) 장축 영상(long-axis)

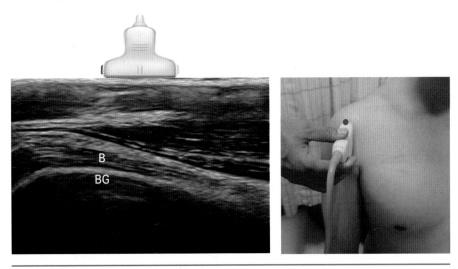

Fig 02. US image of long-axis of long head of biceps brachii.

B, long head of biceps brachii; BG, bicipital groove.

 KEY POINT

건의 장축을 검사하기 위해서는 탐촉자를 90°로 돌리고 비등방성 인공물을 피하기 위해서는 탐촉자의 원위부를 약간 눌러주어 수직 영상을 얻어야 한다.

3) 병적 소견

(1) 삼출액(effusion)

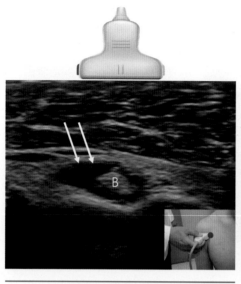

Fig 03. US image of short-axis of effusion in the biceps tendon sheath (arrows). B, long head of biceps brachii.

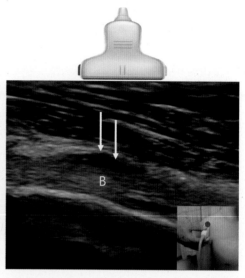

Fig 04. US image of long-axis of effusion in the biceps tendon sheath (arrows). B, long head of biceps brachii.

(2) 아탈구/완전파열(subluxation/complete rupture)

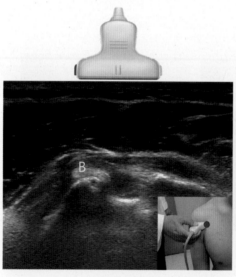

Fig 05. US image of short-axis of medial subluxation of long head of biceps. B, long head of biceps tendon.

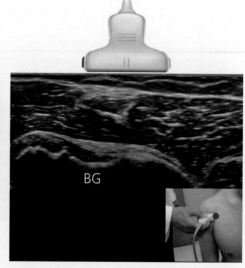

Fig 06. US image of short-axis of complete tear of long head of biceps with empty bicipital groove. BG, bicipital groove.

KEY POINT

건의 단축 영상으로 보며 견관절을 내회전 또는 외회전시켜 건의 동적 안정성(dynamic stability) 여부를 검사할 수 있다.

(3) 부분파열(partial rupture)

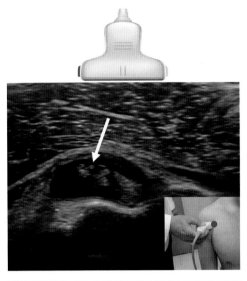

Fig 07. US image of short-axis of partial tear (arrow) of long head of biceps with effusion in the biceps tendon sheath.

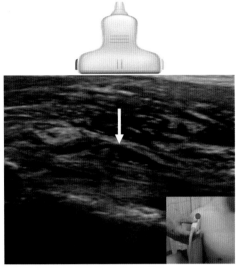

Fig 08. US image of long-axis of partial tear (arrow) of long head of biceps with effusion in the biceps tendon sheath.

02 견갑하건(Subscapularis tendon)

1) 검사 자세

(1) 팔의 자세

① 어깨는 외회전을 시키면서
② 견갑하건이 정면으로 위치하게 한다.

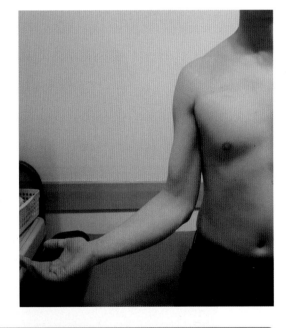

 KEY POINT

견관절을 충분히 외회전시켜야 건 부착부의 비등방성 인공물을 방지할 수 있다. 강직이 심한 경우 견갑하건 조영이 어려울 수 있다.

2) 정상 소견

(1) 단축 영상(short-axis)

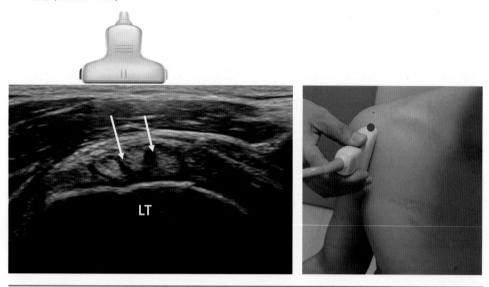

Fig 09. Short-axis scan of subscapularis tendon shows multiple hypoechoic clefts (arrow) through the tendon substance.
LT, lesser tuberosity.

KEY POINT

견갑하건의 단축 영상에서 정상적인 건의 경우 고에코의 다발과 사이의 저에코의 틈새(cleft)를 관찰할 수 있다. 이는 건 섬유속(fascicle) 사이로 근섬유가 위치하여 보이는 현상으로 파열이 아님을 주의해야 한다.

(2) 장축 영상(long-axis)

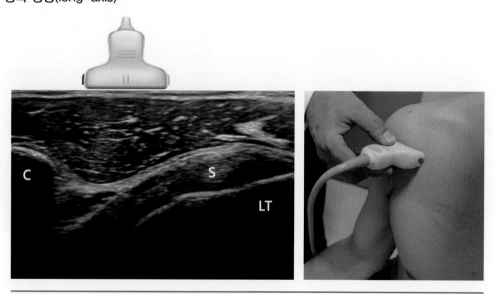

Fig 10. Short-axis scan of subscapularis tendon shows multiple hypoechoic clefts (arrow) through the tendon substance.
LT, lesser tuberosity.

3) 병적 소견

(1) 부분파열

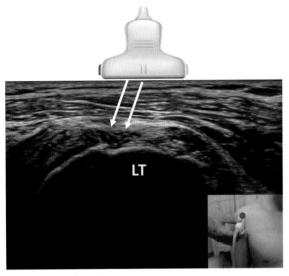

Fig 11. Short-axis scan of partial tear (arrows) of proximal subscapularis tendon .
LT, lesser tuberosity.

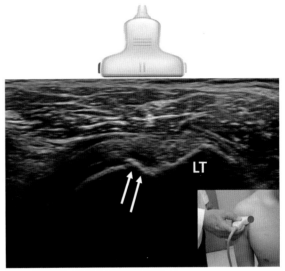

Fig 12. Long-axis scan of partial tear (arrows) of proximal subscapularis tendon.
LT, lesser tuberosity; C, coracoid process.

(2) 완전파열

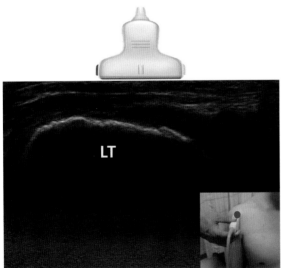

Fig 13. Short-axis scan of complete tear of subscapularis tendon.
LT, lesser tuberosity.

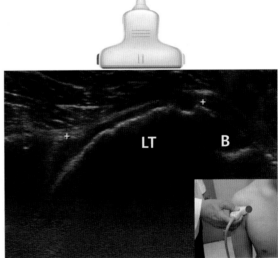

Fig 14. Long-axis scan of complete tear of subscapularis tendon.
LT, lesser tuberosity.

03 / 극상건(Supraspinatus tendon)

1) 검사 자세

(1) Crass 자세

① 어깨는 내회전의 상태를 취하며

② 손은 등 뒤로 열중쉬어 자세를 취한다.

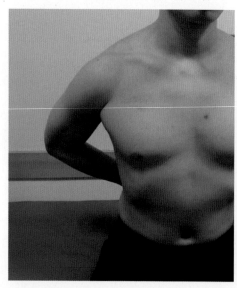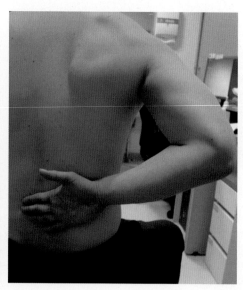

(2) Modified Crass 자세

① 어깨는 내회전의 상태를 취하며

② 손은 뒤 주머니 위에 올려놓는 자세를 취한다.

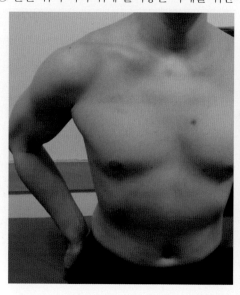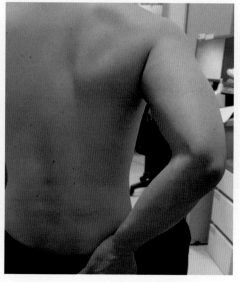

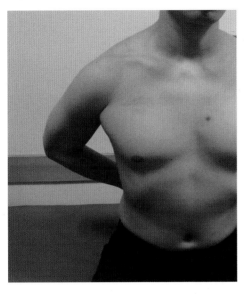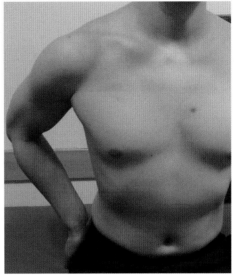

 KEY POINT

Crass 자세와 modified Crass 자세
① 필요시 두 자세를 번갈아 가면서 관찰
② 강직이 심하여(즉, frozen shoulder) 위 자세를 취하기 어려운 경우 최대한 어깨를 신전(extension) 자세
를 취하도록 한다.

2) 정상 소견

(1) 단축 영상(short-axis)

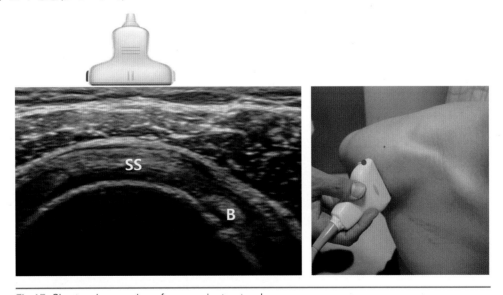

Fig 15. Short-axis scanning of supraspinatus tendon.
    SS, supraspinatus; B, long head of biceps tendon.

(2) 장축 영상(long-axis)

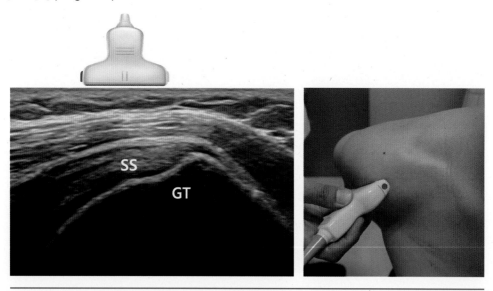

Fig 16. Long-axis scanning of supraspinatus tendon.
SS, supraspinatus; GT, greater tuberosity.

▼ KEY POINT

극상건의 장축 영상에서 전방부는 볼록한 대결절에 부착하게 되고 후방으로 갈수록 대결절의 높이가 낮아진다.
극상건이 대결절로 부착되는 부위에서는 교원 섬유의 방향이 급격하게 변하게 되므로 비등방성 저에코 영역이 관찰될
수 있어 회전근 개 관절 측 부분파열과 혼동될 수 있으므로 탐촉자를 장축으로 기울여 가며 확인을 해야 한다.

3) 병적 소견

(1) 부분파열(관절면측; articular-side partial tear)

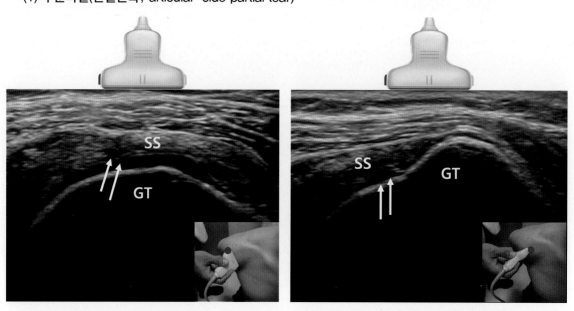

Fig 17. Short-axis scanning of small articular-side partial
thickness tear (arrows) of supraspinatus tendon.
SS, supraspinatus.

Fig 18. Long-axis scanning of small articular-side partial
thickness tear (arrows) of supraspinatus tendon.
SS, supraspinatus; GT, greater tuberosity.

(2) 부분파열(점액낭측; bursal-side partial tear)

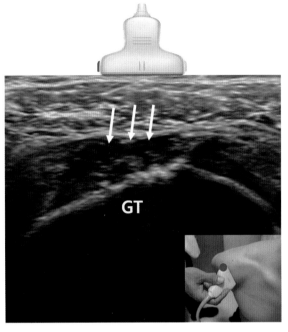

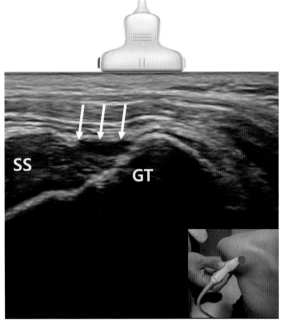

Fig 19. Short-axis scanning of bursal-side partial thickness tear (arrows) of supraspinatus tendon. GT, greater tuberosity.

Fig 20. Long-axis scanning of bursal-side partial thickness tear (arrows) of supraspinatus tendon. SS, supraspinatus; GT, greater tuberosity.

(3) 부분파열(건실질내; intratendinous)

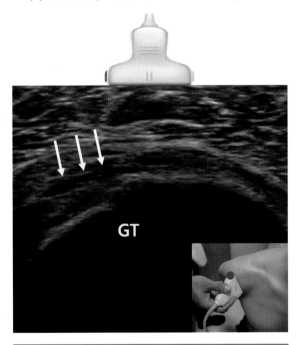

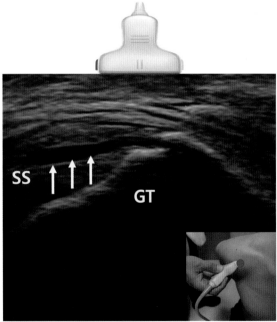

Fig 21. Short-axis scanning of intratendinous partial thickness tear (arrows) of supraspinatus tendon. GT, greater tuberosity.

Fig 22. Long-axis scanning of intratendinous partial thickness tear (arrows) of supraspinatus tendon. SS, supraspinatus; GT, greater tuberosity.

(4) 전층파열(full-thickness tear)

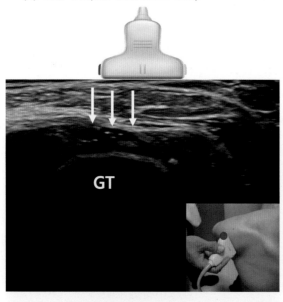

Fig 23. Short-axis scanning full thickness tear (arrows) of supraspinatus tendon.
GT, greater tuberosity.

Fig 24. Long-axis scanning of full thickness tear of supra-spinatus tendon with bare footprint (arrows).
SS, supraspinatus; GT, greater tuberosity.

04 극하건(Infraspinatus tendon)/소원건(Teres minor)

1) 검사 자세

(1) 팔의 자세

① 편안하게 앉은 상태로 진행한다.

② 반대편 어깨위로 손을 올린다.

③ 견관절의 내전 및 내회전의 상태를 유지한다.

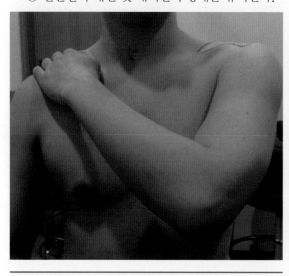

Fig 25. Front view of the arm position (placing hand on the adjacent shoulder)

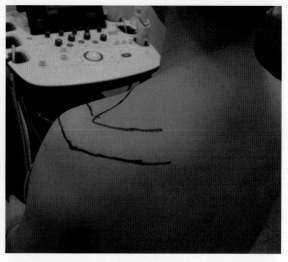

Fig 26. Posterior view showing the anatomy (scapular spine act as a landmark)

2) 정상 소견: 장축 영상(long-axis)

(1) 탐촉자(probe)의 위치

견갑골 극(scapular spine) 바로 아래에 탐촉자를 극하건 (infraspinatus tendon)의 주행 방향에 따라 위치한다.

 KEY POINT

견갑골 극(scapular spine)의 해부학적인 위치를 신속히 찾는 것이 도움이 된다. 우측 그림과 같이 먼저 해부학적 경계 (anatomical landmark)를 분명히 하면 방향과 위치 (orientation)에 혼선을 피할 수 있다.

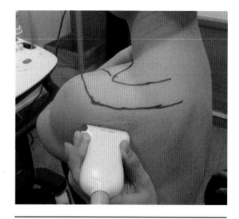

Fig 27. Probe placed for long-axis of infra-spinatus

(2) 초음파 소견

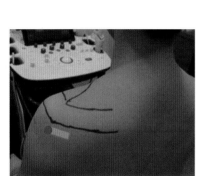

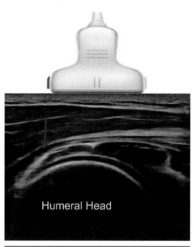

Humeral Head

Fig 28. Tendon portion of infraspinatus

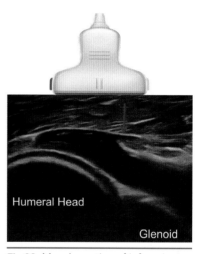

Humeral Head

Glenoid

Fig 29. Muscle portion of infraspinatus

 KEY POINT

극하건(infraspinatus)과 소원건(teres minor)은 초음파상 명확히 구분하기 힘들다. 그러나 부착 양상이 약간 다르며, 소원건은 사각 모양(quadriangular)의 부착 양상을 보이고 있다.

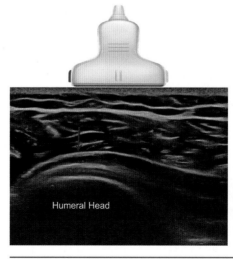

Humeral Head

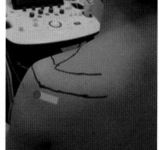

Fig 30. Tendon portion of teres minor

3) 정상 소견: 단축 영상(short-axis)

(1) 탐촉자의 위치

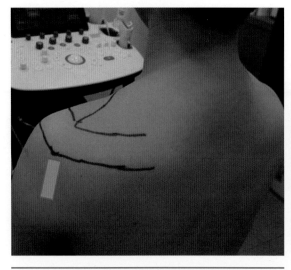

Fig 31. Posterior view of the anatomy (perpendicular to long-axis view)

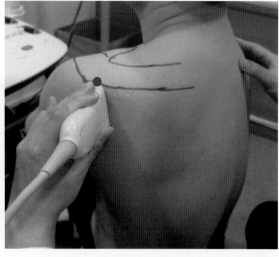

Fig 32. Probe placed to examine short-axis view (probe in position for infraspinatus and teres minor)

(2) 초음파 소견

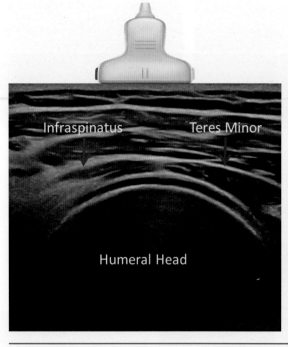

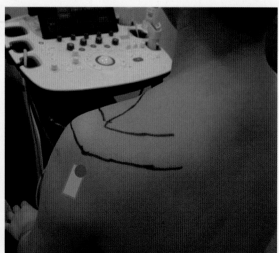

Fig 33. Short-axis view of infraspinatus and teres minor

KEY POINT

극하건(infraspinatus)은 쐐기 모양(wedge shaped)의 부착부(insertion) 그리고 소원건(teres minor)은 사각 모양(quadriangular) 의 부착양상을 보이고 있으나, 단축(short-axis) 영상은 편의상 탐촉자(probe)의 위치로 구분하면 쉽게 검사를 할 수 있다.

4) 병적 소견

(1) 극 관절와 낭종(spinoglenoid cyst)

극하건(infraspinatus) 장축으로 탐촉자를 위치하여, 극 관절와 절흔(spinoglenoid notch) 내 결절종 (cyst) 확인

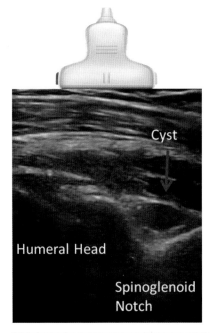
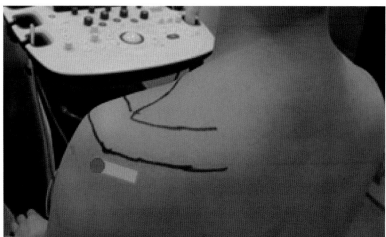

Fig 34. Cyst located on the spinoglenoid notch

(2) 극하건 파열

① 극하건(infraspinatus) 장축으로 탐촉자를 위치하여, 극하건(infraspinatus) 파열(rupture) 확인
② 정상영상과 비교 시 힘줄의 연속성 소실 확인

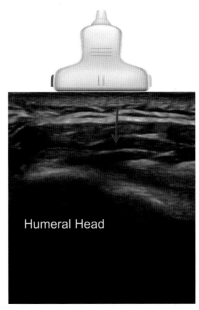
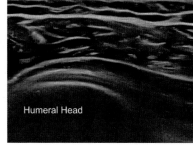
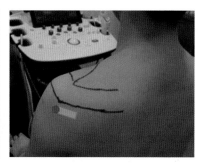

Fig 35. Torn tendon, loss of continuity   Fig 36. Normal tendon of the infraspinatus (long-axis view)

(3) 소원건 파열

① 소원건(teres minor) 장축으로 탐촉자를 위치하여, 소원건 파열(rupture) 확인

② 정상영상과 비교 시 힘줄의 연속성 소실 확인

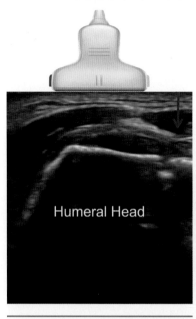

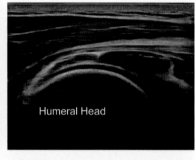

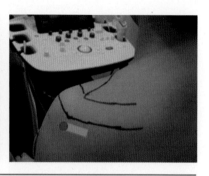

Fig 37. Torn tendon, loss of continuity   Fig 38. Normal tendon of the infraspinatus (long-axis view)

05 관절와 상완 관절(Glenohumeral joint)

1) 검사 자세

(1) 환자는 편하게 앉은 상태로 진행하며, 검사자는 검사부위 어깨의 뒤쪽에 위치한다.

(2) 환자는 검사부위 어깨의 손을 반대편 어깨위로 손을 올려 검사부위의 어깨가 자연스럽게 내전 및 내회전되도록 한다.

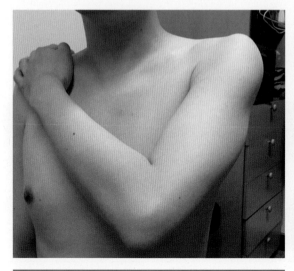

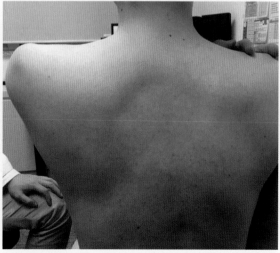

Fig 39. Anterior view   Fig 40. Posterior view

2) 표면 해부학

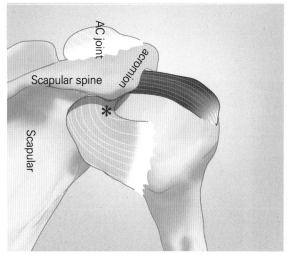

Fig 41. Anatomical landmark of the glenohumeral joint

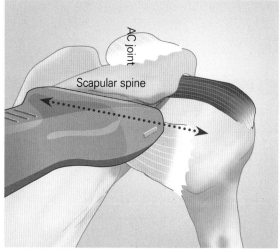

Fig 42. Probe orientation on the glenohumeral joint

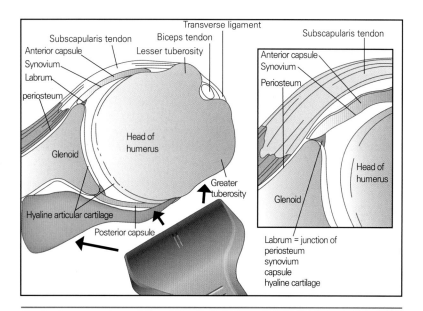

Fig 43. Anatomical structures from the posterior aspect

3) 정상 소견

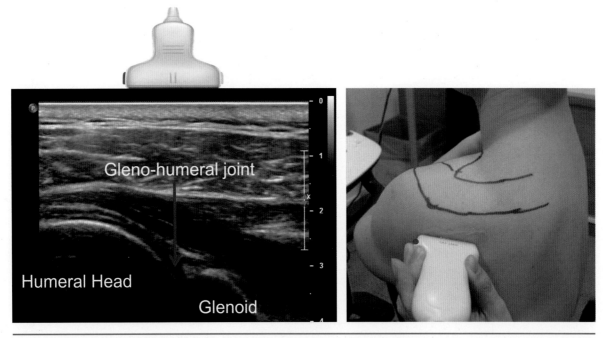

Fig 44. Ultrasound image of glenohumeral joint (space between humeral head and glenoid)

 KEY POINT

상완골 골두(humeral head)와 관절와(glenoid)를 찾아 극하건(infraspinatus)에 대한 orientation을 잡는다. 상완골 골두와 관절와의 사이 공간을 확인한다.

06 / 견봉쇄골 관절(Acromioclavicular joint)

1) 검사 자세

(1) 팔의 자세

① 편하게 앉은 상태로 진행한다.

② 어깨는 몸통에 편하게 붙인다.

③ 대퇴부에 손을 편하게 올린다.

 KEY POINT

견쇄 관절(acromioclavicular joint)의 검사는 촉진(palpation)을 통해 쉽게 구분할 수 있다.

Fig 45. Bony landmark showing acromio-clavicular joint

2) 정상 소견: 장축 영상(long-axis)

(1) 탐촉자의 위치

쇄골(clavicle)과 견봉(acromion) 사이에 위치하게 한다.

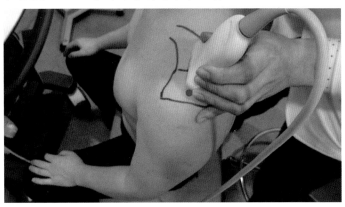

Fig 46. Probe on the acromioclavicular joint

 KEY POINT

견봉 쇄골 관절(acromioclavicular joint)에 탐촉자(probe)의 위치를 잡고 쇄골(clavicle)에 압력을 가해 정확한 위치를 잡을 수 있다.

(2) 초음파 소견

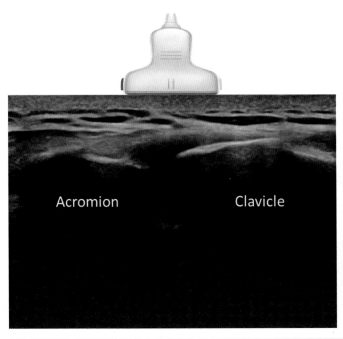

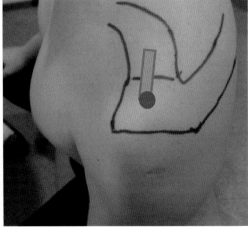

Fig 47. Long-axis view of acromioclavicular joint

3) 정상 소견: 단축 영상(short-axis)

(1) 탐촉자의 위치

쇄골(clacivle)과 견봉(acromion) 사이에 위치하게 한다.

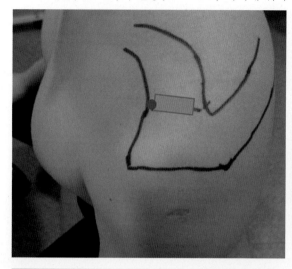

Fig 48. Anatomical landmark of acromioclavicular joint

Fig 49. Probe placed on the acromioclavicular joint

(2) 초음파 소견

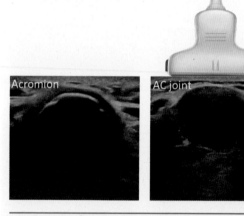
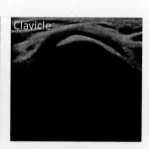

Fig 50. Short-axis view of acromion, AC joint and clavicle

KEY POINT

견봉 쇄골 관절(acromio-clavicular joint)에 탐촉자(probe)의 위치를 잡고 견봉(acromion) 및 쇄골(clavicle)의 영상을 확인 후 관절강내의 방향과 위치(orientation)를 잡는다.

4) 병적 소견

(1) 견쇄관절 염증 및 삼출액(AC joint inflammation/effusion)

① 견쇄관절의 벌어짐(widening)과 관절 내부에 삼출(effusion) 현상이 관찰되고 있다.

② 정상영상과 비교 시, 관절의 현저한 간격 증가와 삼출이 관찰된다.

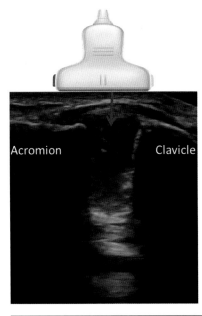
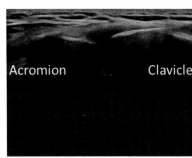
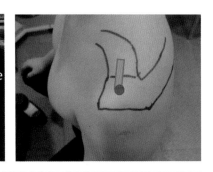

Fig 51. Inflammation (effusion) of the AC joint (left), Normal AC joint (right)

(2) 견쇄관절염(AC joint arthiritis)

① 불규칙적인 골극(irregular spur) 형성 및 견봉–쇄골 관절의 충돌(impinge)이 관찰되고 있다.

② 정상영상과 비교 시, 관절의 불규칙적인 관절면과 염증(inflammation) 소견이 관찰된다.

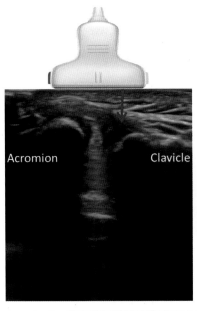
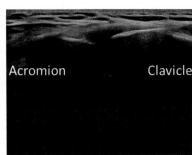

Fig 52. Arthritis of the AC joint (left), Normal AC joint (right)

07 초음파 유도하 주사요법(US-guided injection)

1) 견봉하 주사요법(subacromial injection)

(1) 환자의 자세

① 앉은 자세에서 상부 회전근개의 초음파 검사를 위한 자세와 동일하게 Crass position 혹은 modified Crass postion을 취한다.

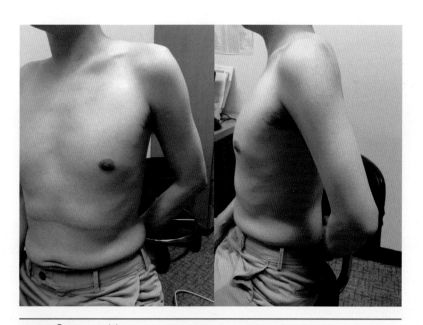

Fig 53. Crass position

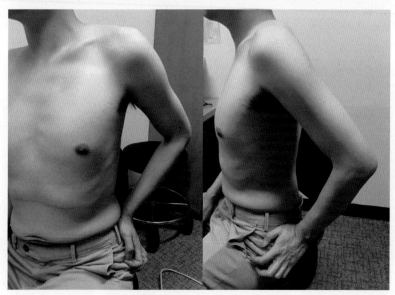

Fig 54. Modified Crass position

(2) 바늘의 접근 방향(needle trajectory)

① 상부에서 진입하기
(needle insertion to superior)

② 외측에서 진입하기
(needle insertion to lateral)

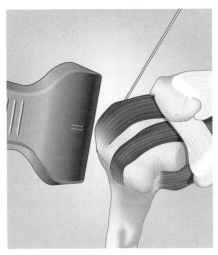
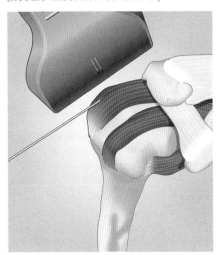

(3) 초음파 주사요법의 실제

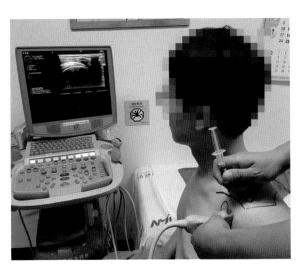
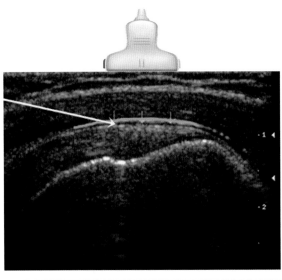

Fig 55. US-guided subacromial injection (needle insertion to superior)

① 상부에서 진입하기

  ⅰ) 탐촉자의 방향과 위치 : In-plane

  ⅱ) 환자의 시술부위 어깨 뒤쪽에 서서 극상건의 장축 영상을 확인하면서 탐촉자의 위쪽에서 아래쪽으로 needle을 삽입한다.

KEY POINT

Tendon 실질의 음영 위쪽으로 고에코의 선상 음영(hyperechoic line)은 peribursal fat이므로, 이러한 peribursal fat (hyperechoic line) 아래쪽으로 needle tip을 위치시켜 주사한다. 이때 testing dose를 주입하여 주사바늘의 tip의 정확한 위치를 확인하고 또한 주입 시 압력이 가해진다면 회전근개 건 실질내로 삽입되었을 가능성이 있기 때문에 주의해야 한다.

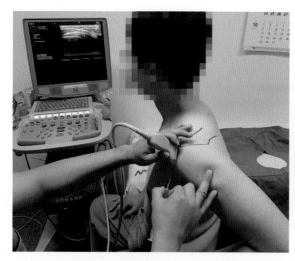

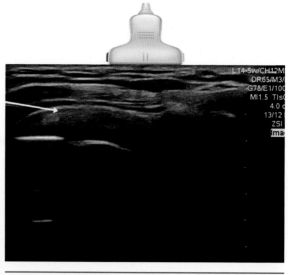

Fig 56. US-guided subacromial injection (needle insertion to lateral)

② 외측에서 진입하기

　ⅰ) 탐촉자의 방향과 위치 : In-plane

　ⅱ) 환자의 시술부위 어깨 앞쪽에 시술자가 앉아 극상건의 장축 영상을 확인하면서 외측(탐촉자의 아래쪽)에서 needle을 삽입한다.

KEY POINT

상방에서 진입하기와 동일

2) 관절와 상완 관절내 주사요법(gleno-humeral joint injection)

(1) 환자의 자세

① 앉은 자세(sitting position)

　ⅰ) 후방 회전근개의 초음파적 검사를 시행할 때와 같이, 앉은 자세에서 검사부위 쪽 팔을 내전시켜 반대쪽 어깨를 잡도록 한다.

　ⅱ) 내전이 어려운 환자는 자연스럽게 팔을 내려놓은 자세를 취하게 한다.

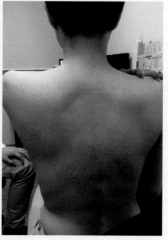

② 옆으로 누운 자세(lateral decubitus position)

    ⅰ) 시술부위 어깨가 위로 향하도록 옆으로 누운 자세를 취하고 팔이 자연스럽게 내전된 상태를 유지하도록 한다.

    ⅱ) 가슴앞쪽으로 pillow를 대주면 검사−시술과정 동안 보다 편하게 자세를 취하고 있을 수 있다.

(2) 바늘의 접근 방향(needle trajectory)

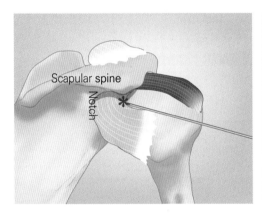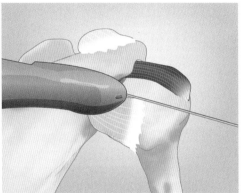

① 후방 회전근개의 장축 영상을 조영하면서 견갑골 극(scapular spine)을 따라 내측으로 탐촉자를 이동하면서 관절의 후방 부위를 확인한다.

② 이러한 관절와 상완 관절의 후방에서는 후방 관절연골면(posterior portion of articular cartilage), 후방 관절와순(posterior labrum), 후방 관절와(posterior glenoid)를 확인할 수 있다.

(3) 초음파 주사요법의 실제

① 앉은 자세(sitting position)

    ⅰ) 탐촉자의 방향과 위치 : In−plane

    ⅱ) 관절와 상완 관절과 관절의 후방구조물들에 대한 장축 영상(MRI상 axial plane 영상과 동일)을 확인하면서 탐촉자의 외측에서 내측 방향으로 주사바늘을 삽입하게 된다.

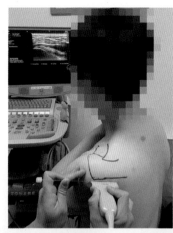
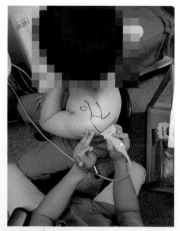
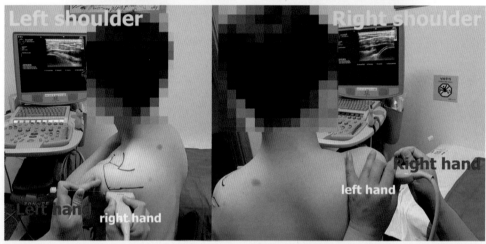

시술자는 탐촉자를 잡고 있는 viewing hand와 시술하는 바늘을 조작하는 working hand가 좌측 또는 우측 어깨를 시술하냐에 따라 바뀌게 된다.

② 옆으로 누운 자세(lateral decubitus position)

ⅰ) 탐촉자의 방향과 위치 : In-plane

ⅱ) 환자가 앉은 자세로 시행하는 경우와는 달리, 환자의 좌측/우측 어깨의 시술과정에서 시술자는 탐촉자를 잡고 있는 viewing hand와 시술하는 바늘을 조작하는 working hand를 바꾸지 않고 시행할 수 있다는 장점이 있다.

ⅲ) 환자가 시술자를 바라보는 쪽으로 옆으로 누운 자세를 취한 경우 시술자의 working hand의 위치를 시술자의 몸에 보다 가깝게 위치시켜 작업할 수 있게 된다.

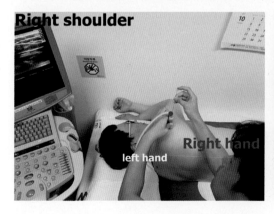

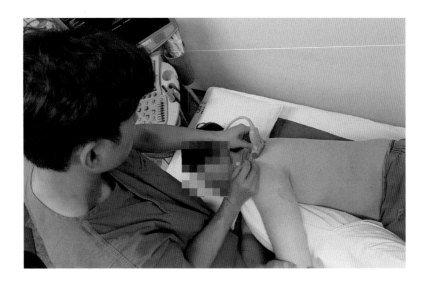

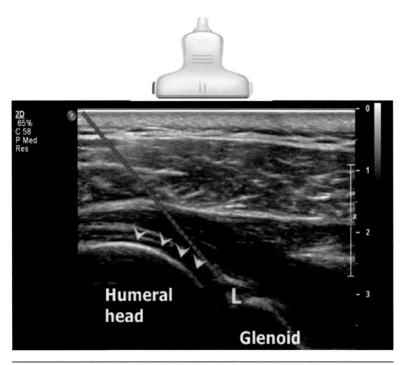

Fig 57. US-guided glenohumeral joint injection

 KEY POINT

Humeral head를 둘러싸고 있는 anechoic line은 빈 공간(즉 관절공간)이 아닌, articular cartilage이며, 주사바늘의 tip은 posterior labrum을 target으로 삽입되어야 한다. 따라서 spinal needle 등의 긴 바늘이 필요하다. 또한 깊이가 깊어 삽입각도가 steeper angle로 삽입되기 때문에 그 주사바늘의 영상이 정확하게 보이지 않는 경우가 있으며 따라서 weak echoic signal, tissue displacement를 모두 확인하면서 삽입하고 testing dose를 injection함으로써 저항없이 정확한 위치에서 injection이 시행되는지를 재차 확인하면서 procedure를 시행하게 된다.

3) 견봉-쇄골관절 주사요법(AC joint injection)

(1) 환자의 자세

① 앉은 자세에서

② 견봉-쇄골 관절의 단축(short-axis)을 조영

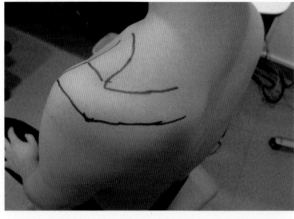

Fig 58. Surface anatomy of acromioclavicular (AC) joint

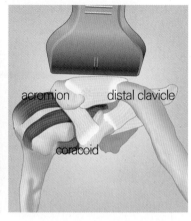

Fig 59. Probe orientation and bony anatomy of acromioclavicular (AC) joint

(2) 바늘의 접근 방향(needle trajectory)

① 전방에서 진입하기(needle insertion to anterior)

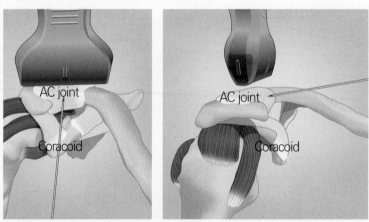

② 상부에서 진입하기(needle insertion to superior)

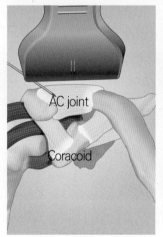
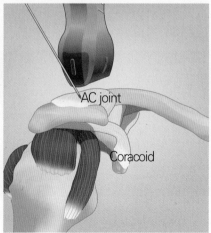

(3) 초음파 주사요법의 실제

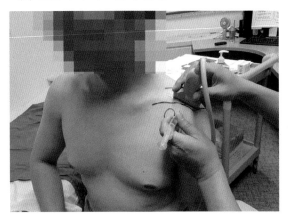 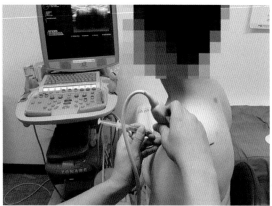

① 전방에서 진입하기

ⅰ) 탐촉자의 방향과 위치 : Out-of-plane

ⅱ) 환자는 앉은 자세에서 탐촉자를 견봉 쇄골 관절의 단축 영상을 확인하고 있는 상태로, 주사바늘을 전방에서 후방으로 진입시킨다.

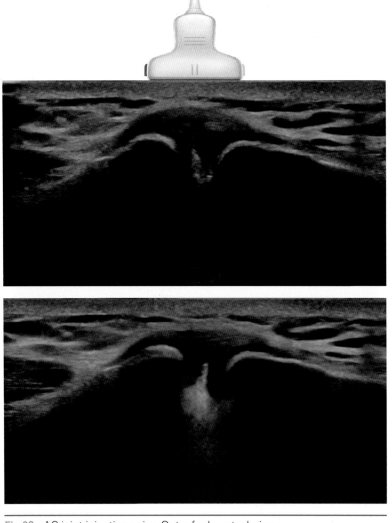

Fig 60. AC joint injection using Out-of-plane technique

② 상방에서 진입하기

ⅰ) 탐촉자의 방향과 위치: In-plane

ⅱ) 환자는 앉은 자세에서 탐촉자를 견봉 쇄골 관절의 단축 영상을 확인하고 있는 상태로, 주사바늘을 외측에서 내측으로 진입시킨다.

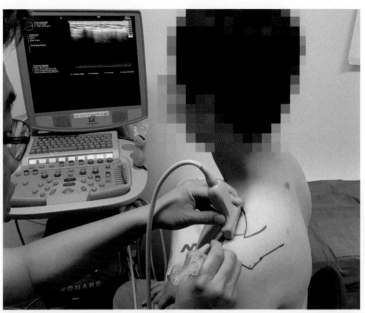

KEY POINT

견봉 쇄골 관절은 매우 표재성으로 위치하기 때문에 상방에서 진입하는 방법으로는 그 진입각도에 의해 견봉 쇄골 관절의 중심부로 접근하기가 어려울 수 있고 무균적 처치를 위한 탐촉자와의 거리를 유지하기 어려울 수 있다. 따라서 일반적으로 견봉 쇄골 관절의 주사요법은 Out-of-plane 방법을 사용하는 전방으로의 진입방법이 유용하다.

08 견갑상 신경 및 초음파 유도하 신경차단술
(Suprascapular nerve and US-guided nerve block)

1) 원위(후방) 접근법(distal or posterior approach)

(1) 표면 해부학

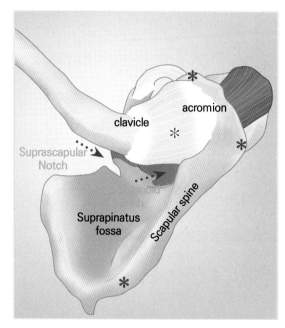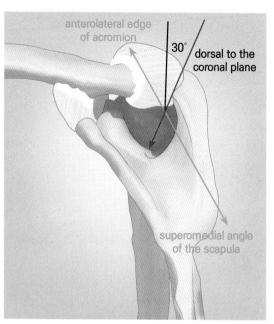

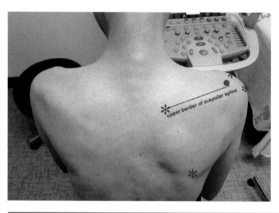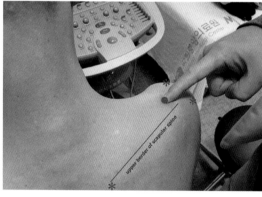

Fig 61. Surface anatomy of scapula

▼ **KEY POINT**

쇄골(clavicle), 견봉(acromion)과 더불어 견갑골 극(scapular spine)을 landmark로 하여 견갑상 신경이 견갑골 내로 들어오면서 주행하게 되는 견갑상 절흔(suprascapular notch), 극 관절와 절흔(spinoglenoid notch), 두 절흔 사이의 공간인 극상와(supraspinatus fossa)의 위치적 상관관계를 이해한다.

(2) 환자의 자세

① 주로 앉은 자세에서 고개를 약간 숙이고 검사하는 쪽 팔을 full adduction시켜서 견갑골(scapula)이 prominent해지게 만든 자세를 취한다.

② 탐촉자를 견갑골 극의 상부 경계(upper border of scapular spine)에 위치시키고 견갑골 극을 따라 이동하면서 검사를 시행하게 되는데 이때 탐촉자를 수직면에 대하여 약간 dorsal tilting시킨 상태로 위치시키는 것이 극상와 부위와 절흔 부위쪽을 잘 확인할 수 있다.

③ US setting of Depth: 4~5 cm

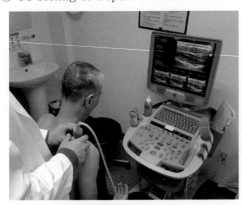 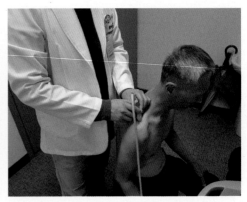

(3) 초음파유도하 신경차단술의 실제

① 승모근(trapezius), 극상근(supraspinatus muscle) 아래로 견갑골 극의 상부 경계인 고에코의 선상 음영(hyperechoic line)을 확인할 수 있으며 움푹 들어간 형태의 절흔(notch)부위를 확인한다.

② Doppler를 켜서 견갑상 동맥(suprascapular artery)를 확인하게 되고, 절흔의 모양과 동맥의 위치를 통해서 간접적으로 견갑상신경의 위치를 확인하게 된다.

③ 절흔까지의 깊이가 길고 steeper angle로 삽입되기 때문에 spinal needle 등의 긴 바늘을 사용하게 되며, 주사바

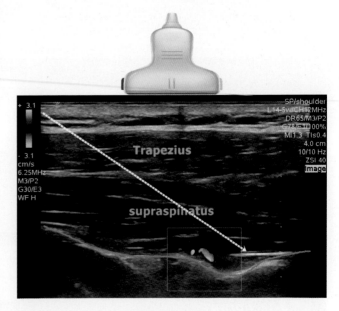

늘의 음영과 더불어 tissue movement 등의 간접적인 초음파 음영과 영상의 변화를 확인하여 주사바늘의 위치를 파악한다. 또한 testing dose를 주사하여 주사바늘의 위치를 정확히 파악한다.

2) 근위(전방) 접근법(proximal or anterior approach)

(1) 표면 해부학

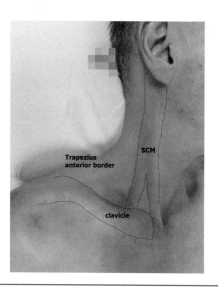

Fig 62. Surface anatomy of posterior triangle of the neck and brachial plexus.
SCM, sternocleidomastoid muscle.

① 경부의 후 삼각 공간(posterior triangle of the neck)

흉쇄유돌근(sternocleidomastoid muscle)의 후방경계, 승모근(trapezius)의 전방경계, 쇄골(clavi-cle)의 상부 경계로 이루어진 삼각형의 공간

② 견갑상신경의 해부학적 주행

상완신경총(brachial plexus)의 상부 줄기(superior trunk)에서 분지되어 쇄골상와(supraclavicu-lar fossa)에서 견갑설골근의 하복(inferior belly of omohyoid muscle)와 승모근(trapezius) 아래로 지나 견갑상 절흔(suprascapular notch)을 통과

(2) 환자의 자세

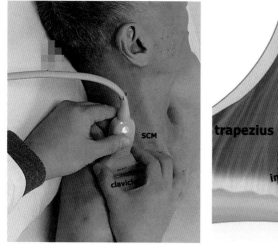 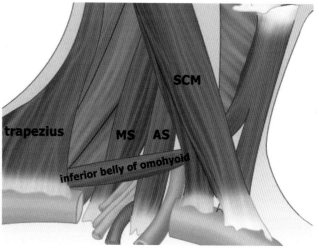

Fig 63. AS, anterior scalene; MS, middle scalene; SCM, sternocleidomastoid muscle.

① 누운 자세 혹은 앉은 자세 모두에서 시행 가능하며 뒤에서 앞으로 주사바늘을 삽입하게 되는 작업 공간을 고려하여 자세를 취하는 것이 중요하다.

② 환자의 얼굴을 시술 부위의 반대쪽으로 돌리게 한다.

③ 이때 고개를 약간 신전시킨 자세를 취하게 되면 경부의 후 삼각공간(posterior triangle of the neck)의 경계 구조물들을 보다 두드러지게 확인할 수 있게 된다.

④ US setting of Depth : 2~3 cm

(3) 초음파유도하 신경차단술의 실제

① C6 level로 알려져 있는 윤상연골(cricoid cartilage)에서 시작해서 외측으로 탐촉자를 이동하면서 전사각근(anterior scalene)과 중사각근(middle scalene)사이에 위치한 상완신경총(*Winnie point)를 확인한뒤 그 주행에 따라 위아래로 이동시키면서 검사를 시행한다.

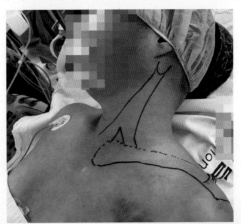

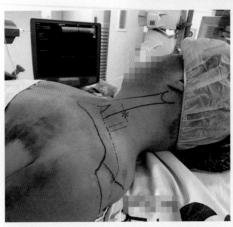
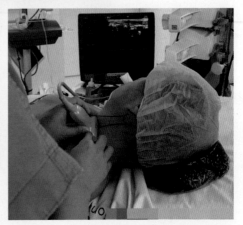

② 윤상연골, 갑상선의 구조물과 더불어 흉쇄유돌근, 내경정맥, 경동맥의 주요혈관을 포함한 구조물들의 위치적 특성을 이해하는 것이 중요하다.

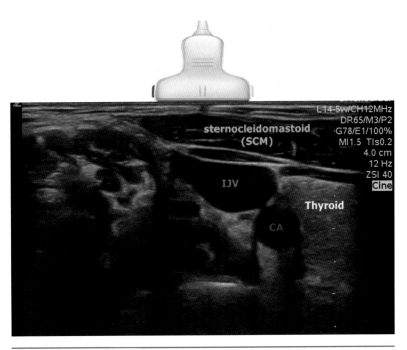

Fig 64. US anatomy of posterior triangle of the neck at C6 level.
IJV, internal jugular vein; CA, caroid artery.

③ 전사각근과 중사각근 사이에 위치하고 있는 상완신경총을 확인하고 그 주행방향에 따라 탐촉자를
아래로 이동하면서 주의 깊게 확인한다.

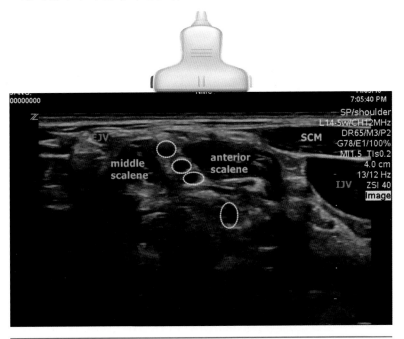

Fig 65. US anatomy of posterior triangle of the neck at Winnie point.
EJV, extenal jugular vein; IJV, internal jugular vein; CA, caroid artery.

④ C5, C6가 합쳐지면서 가장 먼저 형성되는 superior trunk 부위를 확인할 수 있으며

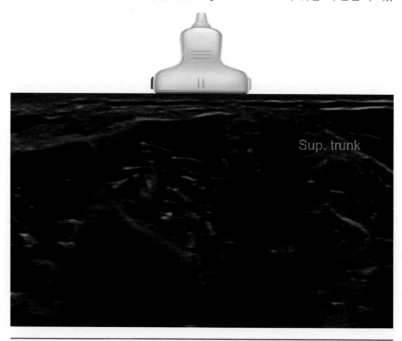

Fig 66. US anatomy of superior trunk of brachial plexus

⑤ Superior trunk에서 첫 번째로 분지되어 외측으로 나오는 가지를 확인할 수 있게 된다. 이 첫 번째 가지가 견갑상 신경(suprascapular nerve)이다.

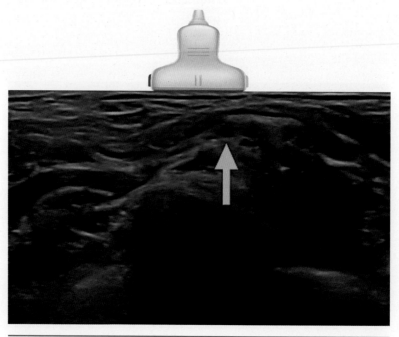

Fig 67. US anatomy of suprascapular nerve as 1st branch of superior trunk of brachial plexus

⑥ 다른 방법으로는 쇄골상와(supraclavicular area)에서의 상완신경총을 확인한 후, 그 주행을 따라 위로 이동하면서 상완신경총와 더불어 견갑설골근(omohyoid muscle)을 확인하고 그 직하부에 위치한 견갑상 신경을 확인할 수도 있다.

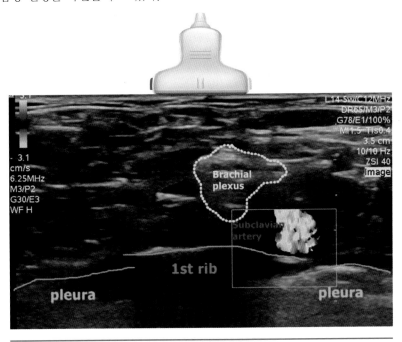

Fig 68. US anatomy of brachial plexus at supraclavicular fossa level

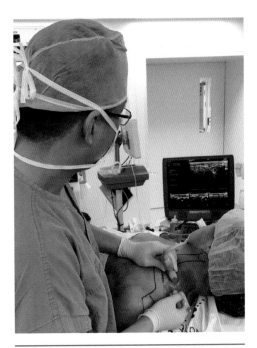

Fig 69. US-guided suprascapular nerve block

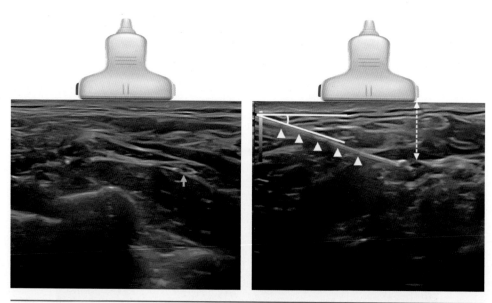

Fig 70. US-guided suprascapular nerve block (고광표 등. J Korean Orthop Assoc 2017)

⑦ 분지되어 나온 견갑상신경을 좀 더 상완신경총 주 줄기(main branch)에서 충분히 떨어진 위치까지 외측 하방으로 추적하게 되면, 견갑설골근의 직하부에 위치하여 주행하는 신경을 확인하게 된다.

 KEY POINT

상완신경총의 주 줄기에 가까울수록 마취제의 확산으로 인하여 원하지 않은 신경부위까지 마취될 수 있는 가능성이 있기 때문에, 상완신경총의 주 줄기에서 충분히 떨어진 위치까지 추적한 위치에서 신경차단술을 시행하는 것이 견갑상 신경 단일마취의 효율을 높일 수 있다.

3

주관절
Elbow

3

주관절 Elbow

■■ 박진영, 최인철, 김영환, 이현일

주관절은 편의상 전방과 후방, 외측과 내측으로 구조물을 각각 나누어서 검사를 시행할 수 있습니다. 전방에서 관찰할 수 있는 대표적인 구조물로는 정중 신경과 상완동맥, 상완 이두건의 원위부를 관찰할 수 있으며, 후방에서는 삼두건의 원위부와 주두 윤활낭을 관찰할 수 있습니다. 외측과 내측에서는 총신건의 기시부와 요골 신경, 총굴건의 기시부와 척골 신경을 관찰할 수 있습니다.

시간이 부족한 진료 중에 검사를 시행할 경우, 모든 구획을 체계적으로 관찰하는 것은 현실적으로 매우 어려울 수 있으므로 병변이 예상되는 부분에 대하여 해부학적 구조를 고려하여 관찰하는 것이 합리적인 방법입니다. 각 부위의 정상 및 비정상 소견을 배우고 초음파 유도하 시술에 도전할 수 있도록 하였습니다.

01 주관절 전방(Anterior elbow)

1. 검사방법

1) 팔의 자세 1

(1) 견관절은 중립위에서 다소 신전하고 주관절은 신전 상태에서 전완을 회외전한다.

(2) 편안한 지지대에 전완부 또는 주관절 후방을 올려 놓은 상태에서 검사를 시행한다.

(3) 일반적으로 환자와 마주보는 위치로 앉아 시행하나 환자가 누운 자세일 경우 측면에 앉아 검사가 가능하다.

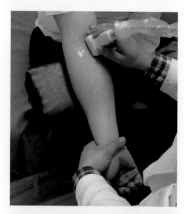

2) 팔의 자세 2

(1) 견관절은 중립위에서 다소 신전하고 주관절은 굴곡 상태에서 전완을 완전히 회내전한다.

(2) 편안한 지지대에 주관절 후방을 올려 놓은 상태에서 검사를 시행한다.

(3) 일반적으로 환자와 마주보는 위치로 앉아 시행한다.

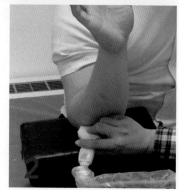

2. 정상 소견

1) 상완 이두건의 장축 영상(long-axis)

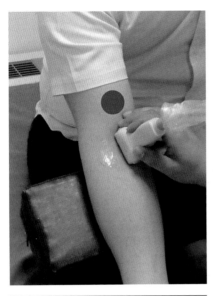

Fig 01. 팔의 자세를 1과 같이 한 후 탐촉자의 표지자가 근위부로 가도록 탐촉자의 장축을 이두건의 축과 일치시킴

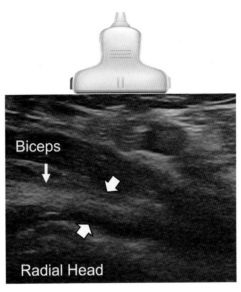

Fig 02. 요골두를 감싸고 도는 듯한 세섬유 모양의 상완 이두건의 원위부를 관찰할 수 있음

2) 상완 이두건의 단축 영상(short-axis)

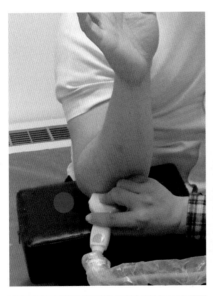

Fig 03. 팔의 자세를 2와 같이 한 후 탐촉자의 표지자가 외측으로 가도록 탐촉자를 위치시킴

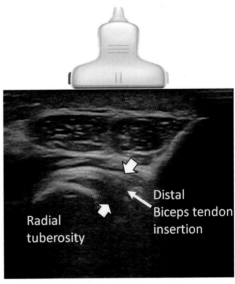

Fig 04. 상완 이두건의 원위부와 요골 조면(radial tuberosity)의 음영을 관찰할 수 있음

3. 병적 소견

1) 상완 이두건의 파열(rupture)

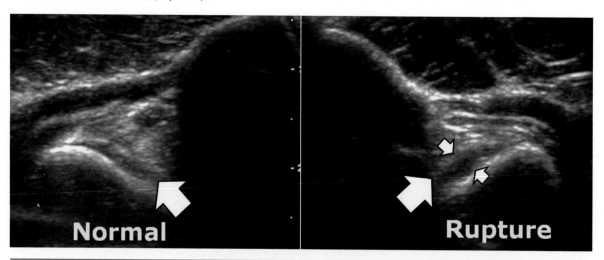

Fig 05. 상완 이두건의 원위부를 건측과 비교하였을 때 파열된 부분의 음영이 비균질성(heterogenous)의 음영이 관찰됨

4. 정상 소견

1) 정중 신경 및 상완 동맥의 단축 영상(short-axis)

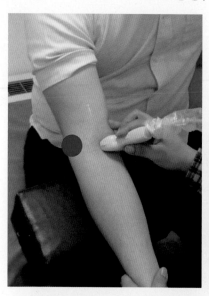

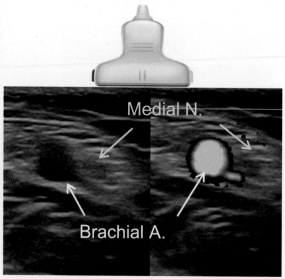

Fig 06. 팔의 자세를 1과 같이 한 후 탐촉자의 표지자가 외측으로 가도록 탐촉자를 위치시킴

Fig 07. 저음영의 상완 동맥을 찾아 도플러로 확인한 후 바로 내측의 벌집 모양의 음영을 보이는 정중 신경을 확인할 수 있음

2) 정중 신경 및 상완 동맥의 장축 영상(long-axis)

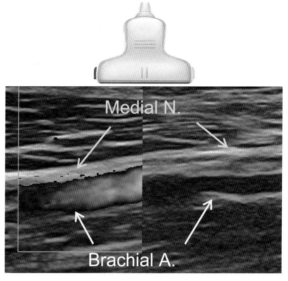

Medial N.

Brachial A.

Fig 08. 팔의 자세를 1과 같이 한 후 탐촉자의 표지자가 근위부로 가도록 탐촉자의 장축을 이두건의 축과 일치시킨 후 이두건의 내측으로 이동하여 검사함

Fig 09. 도플러를 이용하여 상완 동맥은 비교적 쉽게 찾을 수 있으며 이보다 내측으로 정중 신경이 관찰됨

---

02 주관절 외측(Lateral elbow)

1. 외상과(lateral epicondyle)

1) 검사방법

(1) 팔의 자세

① 견관절은 내회전 상태에서 다소 신전하고 주관절은 90° 굴곡 상태에서 전완은 중립으로 위치시킨다.

② 편안한 지지대에 주관절 후방을 올려 놓은 상태에서 외측에 도드라져 보이는 외상과에 대하여 검사를 시행한다.

③ 일반적으로 환자와 마주보는 위치로 앉아 시행한다.

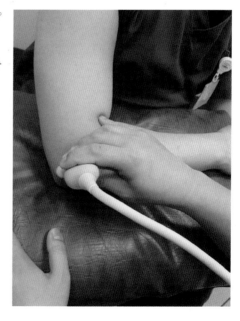

2) 정상 소견

(1) 외상과의 장축 영상(long-axis)

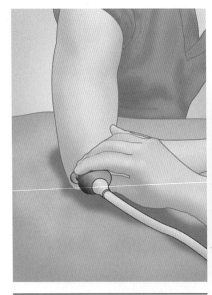

Fig 10. 주관절의 외측에 탐촉자의 표지자가 근위부로 가도록 탐촉자의 장축을 일 치시킴

Fig 11. 고에코(hyperechoic)의 외상과(lateral epicondyle)와 요골두(radial head) 를 관찰할 수 있으며 외상과에서 시작되는 총신건(common extensor)을 관 찰할 수 있음

(2) 총신건의 단축 영상(short-axis)

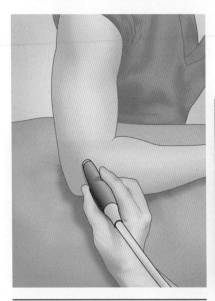

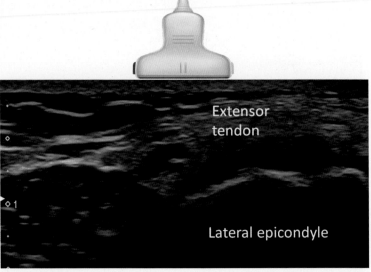

Fig 12. 앞의 장축을 보는 자세에서 탐촉자를 90° 회전시켜 관찰함

Fig 13. 외상과(lateral epicondyle)에서 시작되는 총신건(common extensor)을 관찰할 수 있음

3) 병적 소견

(1) 총신건의 파열

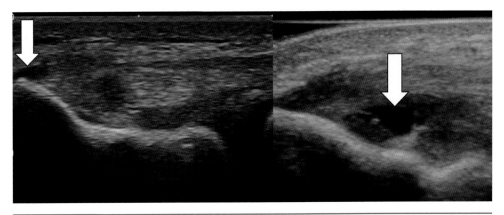

Fig 14. 총신건(common extensor)의 파열 부위는 저에코의 병변(hypoechic lesion)으로 관찰됨

(2) 총신건의 건병증

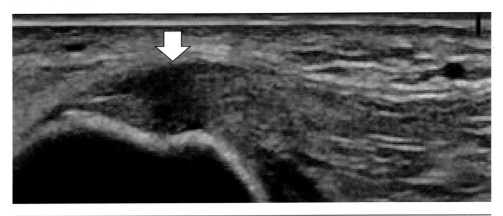

Fig 15. 정상 신건과 이질적인 에코를 보이며 부종이 발생한 소견이 관찰됨

2. 요골 신경

1) 검사방법

(1) 팔의 자세

① 견관절은 내회전 상태에서 다소 신전하고 주관절은 90° 굴곡 상태에서 전완은 중립으로 위치시킨다.

② 편안한 지지대에 주관절을 올려 놓은 상태에서 외상과를 한 쪽 축으로 외상과의 전방을 검사한다.

③ 일반적으로 환자와 마주보는 위치로 앉아 시행한다.

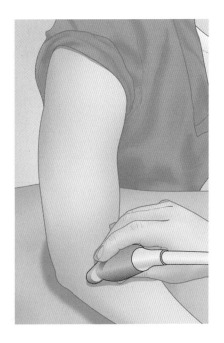

2) 정상 소견

(1) 요골 신경의 단축 영상(short-axis)

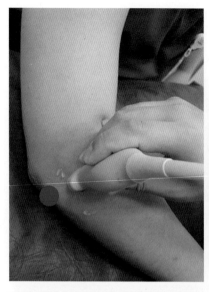

Fig 16. 팔의 자세를 2와 같이 한 후 탐촉자의 표지자가 외측으로 가도록 탐촉자를 위치시킴

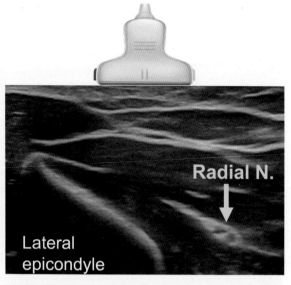

Radial N.

Lateral epicondyle

Fig 17. 외상과(lateral epicondyle) 외측의 앞쪽에 상완근(brachialis)과 상완요골근(brachioradialis) 사이에 위치하는 벌집 음영(honeycomb appearance)의 요골 신경(radial nerve)의 단면을 확인할 수 있다.

03 주관절 후방(Posterior elbow)

1. 검사방법

1) 팔의 자세

(1) 견관절은 내회전 상태에서 다소 신전 하고 주관절은 90° 굴곡 상태에서 전완은 중립으로 위치시킴.

(2) 편안한 지지대에 주관절 후방을 올려 놓은 상태에서 만져지는 주두를 기준으로 근위부에 대하여 검사를 시행함.

(3) 일반적으로 환자와 마주보는 위치로 앉아 시행함.

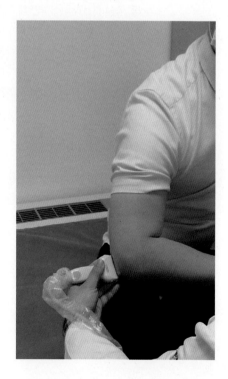

2. 정상적 소견

1) 삼두건의 장축 영상(long-axis)

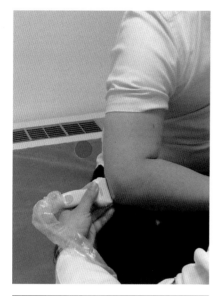

Fig 18. 팔의 자세를 위와 같이 한 후 탐촉자의 표시부가 근위부로 가도록 탐촉자의 장축을 삼두건(triceps)의 축과 일치시킴

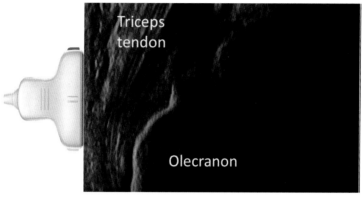

Fig 19. 상완 삼두건(triceps brachii)이 과반사의 선형(linear) 구조물로 주두(olecranon)에 부착하는 것을 확인할 수 있다.

3. 병적 소견

1) 삼두건의 파열

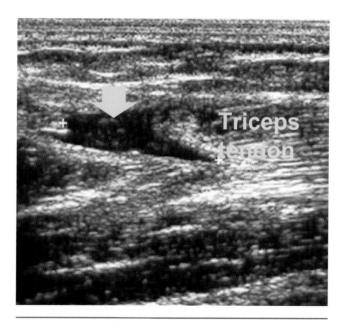

Fig 20. 파열된 삼두건(triceps)이 저에코(hyperechoic)의 병변(lesion)으로 관찰되며 과반사의 선형 구조가 사라진 것을 알 수 있다.

2) 주두의 윤활낭염

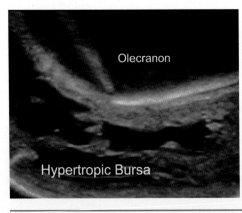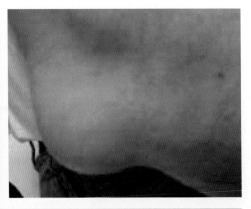

Fig 21. 주두(olecranon)와 피부(skin) 사이에 저에코(hypoechoic)의 부피를 차지하는 비후된(hypertro-phic) 윤활낭(bursa)을 관찰할 수 있음

04 주관절 내측(Medial elbow)

1. 검사방법

1) 팔의 자세

   (1) 견관절은 외회전 상태에서 90° 정도 외전하고 주관절은 90° 굴곡 상태에서 전완은 중립으로 위치시킨다.

   (2) 환자가 앉아 있는 상태에서도 검사가 가능하나 일반적으로 편하게 눕힌 상태에서 시행한다.

   (3) 일반적으로 누워 있는 환자의 측면에서 시행한다.

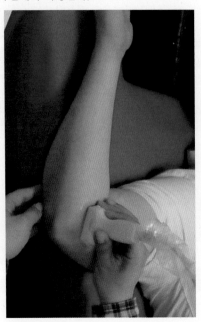

2. 정상적 소견

1) 총굴건의 장축 영상(long-axis)

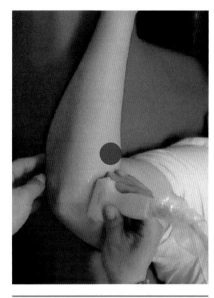

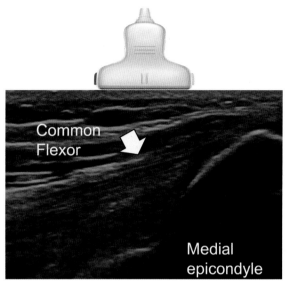

Fig 22. 탐촉자의 표지자가 원위부로 가도록 탐촉자의 장축을 전완부의 축과 일치 시켜 관찰함

Fig 23. 과반사 소견을 보이는 삼각형의 구조물로 미세 섬유양 형태(micro-fibrillation appearance)로 나타나며 외측 의 총신건 보다는 더 조밀하며 더 광범위한 부착을 보임

2) 총굴건의 단축 영상(short-axis)

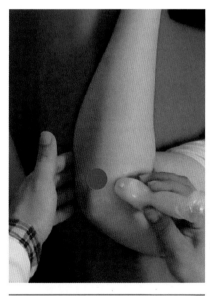

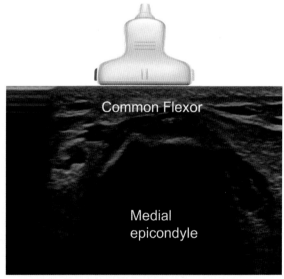

Fig 24. 탐촉자의 표지자가 외측으로 가도록 탐촉자의 장축을 총굴건(common flexor)의 축에 90° 외전시켜 관찰함

Fig 25. 내상과(medial epicondyle)에서 시작되는 총굴건(com- mon flexor)을 관찰할 수 있음

3. 병적 소견

1) 총굴건(common flexor)의 파열

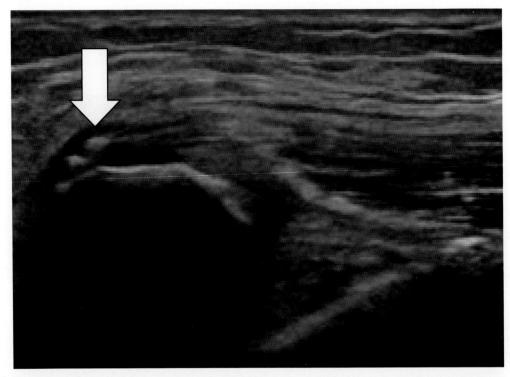

Fig 26. 총굴건(common flexor)의 장축을 관찰할 때 파열 부위는 저에코(hypoechoic)의 병변으로 관찰되며 정 상적으로 보이던 촘촘한 선형의 구조가 사라져 있음

2) 총굴건(common flexor)의 건병증(tendinosis)

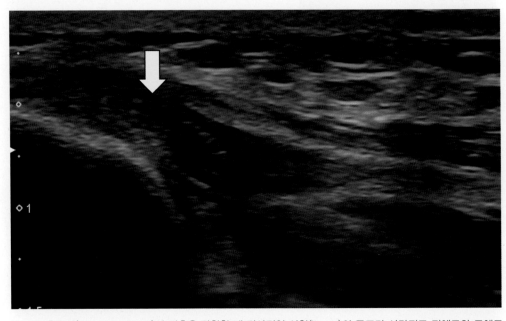

Fig 27. 총굴건(common flexor)의 장축을 관찰할 때 정상적인 선형(linear)의 구조가 사라지고 저에코와 고에코 가 혼재된 양상의 비후된 병변(hypertropic lesion)이 관찰됨

2. 정상적 소견

1) 척골 신경(ulnar nerve)의 단축 영상(short-axis)

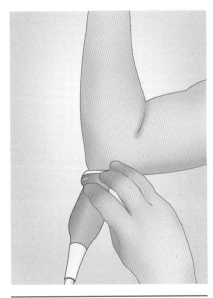

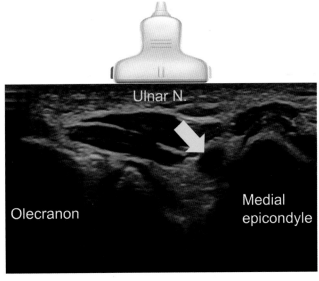

Fig 28. 내상과(medial epicondyle)를 기준으로 주관절의 후방에서 탐촉자의 표지자가 외측으로 가도록 탐촉자를 위치시켜 관찰함

Fig 29. 내상과(medial epicondyle)에 인접한 저음영(hypoechoic) 또는 벌집 구조(honeycomb structure)의 타원형(oval)의 구조물을 확인할 수 있음

2) 척골 신경의 장축 영상(long-axis)

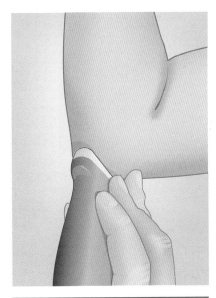

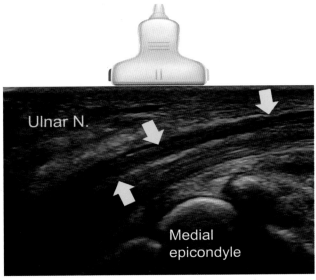

Fig 30. 척골 신경(ulnar nerve)의 단축을 관찰한 상태에서 이를 중심으로 탐촉자를 90˚ 정도 종축으로 전환하여 관찰함

Fig 31. 내상과(medial epicondyle)의 바로 옆에서 미세섬유양 형태(micro-fibrillation appearance)로 관찰됨

3. 병적 소견

1) 척골 신경(ulnar nerve)의 비후(hypertrophy)

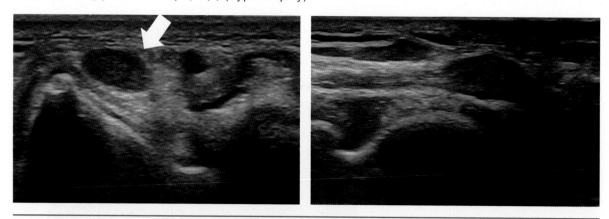

Fig 32. 주관증후군(cubital tunnel syndrome)의 경우 척골 신경(ulnar nerve)의 단면은 건강한 신경 혹은 반대 측보다 현저히 크기가 증가되어 있다.

2) 척골 신경(ulnar nerve)의 아탈구(subluxation)

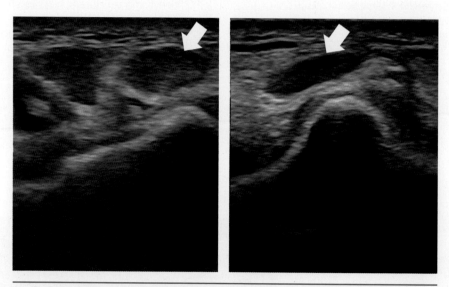

Fig 33. 척골 신경(ulnar nerve)을 단축으로 관찰하면서 주관절을 굴곡(flexion)하면 척골 신경이 주관(cubital tunnel)에 위치하지 않으며 전방으로 아탈구(subluxation)되면서 종종 비후(hypertrophy)를 동반한 모습이 관찰됨

05 초음파 유도하 주사요법(US-guided injection around elbow)

1. 외상과염(lateral epicondylitis, tennis elbow)

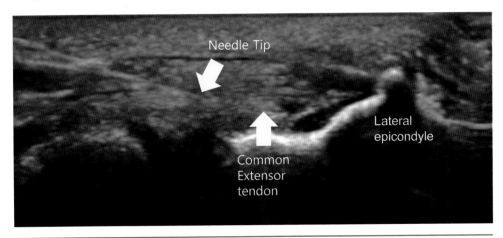

Fig 34. 주관절의 외측을 관찰하는 자세에서 외상과(lateral epicondyle)로부터 총신건(common extensor)을 모두 장축으로 관찰할 수 있는 초음파 영상을 확인한 후 외측 도달법(in-plane approach)을 이용하여 주사침의 궤적을 관찰하며 총신건(common extensor)으로 접근하여 총신건 주변에 스테로이드를 주사함

⊙ KEY POINT

외상과염(lateral epicondylitis)의 경우 병변의 주변에만 스테로이드를 주사하는 것 만으로도 효과를 볼 수 있는 경우가 많으므로 병변 주변에 낮은 압력으로 천천히 주사하는 것이 좋으며 강한 압력으로 주사하는 경우 근막이 분리되는 경우도 있으니 조심하여야 한다.

2. 내상과염(medial epicondylitis, golfer's elbow)

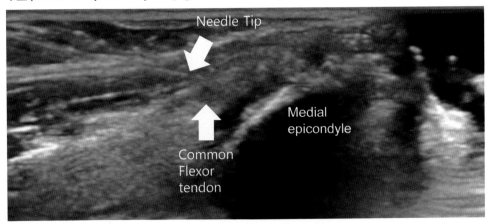

Fig 35. 주관절의 내측을 관찰하는 자세에서 내상과(medial epicondyle)로부터 총굴건(common flexor)을 모두 장축으로 관찰할 수 있는 초음파 영상을 확인한 후 외측 도달법(in-plane approach)을 이용하여 주사침의 궤적을 관찰하며 총굴건(common flexor)으로 접근하여 총신건 주변에 스테로이드를 주사함

⊙ KEY POINT

내상과염(medial epicondylitis)의 경우에도 외상과염과 마찬가지로 병변 주변에 낮은 압력으로 천천히 주사하도록 하여야한다.

3. 원위 이두건 건염(건증)(distal biceps tendon tendinopathy, bicipitoradial bursa)

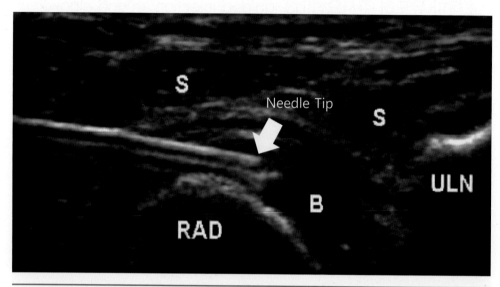

Fig 36. 상완 이두건 원위부(distal portion of biceps brachii)의 단축을 관찰하는 자세에서 요골(radius)과 이두건(biceps)을 모두 관찰할 수 있도록 영상을 확인한 후 외측 도달법(in-plane approach)을 이용하여 주관절의 외측에서 내측 방향으로 주사침의 궤적을 관찰하며 상완 이두건으로 접근하여 건 내(Intratendinous), 건 주변(peritendinous)의 윤활막에 스테로이드를 주사함
RAD, radius; B, distal biceps; ULN, ulna; S, supinator.

완관절
Wrist

PART

4 완관절 Wrist

■■ 박진영, 최인철, 김영환, 이현일

완관절은 크게 배측, 요측, 장측의 구조물을 각각 나누어서 검사합니다. 척측에는 삼각섬유연골 복합체가 있으나 아직까지는 초음파의 해상도로 관찰하기는 한계가 있어서 소개하지 않았으며 척 수근 신전건은 배측에서 관찰할 수 있습니다. 바쁜 외래 진료 시간에 검사를 진행한다면 영상의학과 의사처럼 모든 구획을 체계적으로 관찰하는 것은 현실적으로 어려우므로 병변이 있을 것으로 판단되는 구획만 양측을 비교해서 관찰하는 것이 합리적입니다.

01 완관절 배측(Dorsum)

1. 검사 자세

1) 팔의 자세

(1) 주로 앉아서 시행하나 누운 자세도 가능하다.

(2) 어깨는 중립위

(3) 전완부 회내전

(4) 편안한 지지대나 대퇴부에 손을 편하게 올려 놓은 자세로 손목은 중립
(굴곡, 신전 0도) 자세에서 시작한다.

2. 정상 소견

1) 단축 영상(short-axis)

Fig 01. 보통은 탐촉자의 표지자(빨간색 원)가 척측에 오게 한다. 즉 척측이 화면의 왼쪽에 표시되게 하고 요측은 우측에 표시된다.

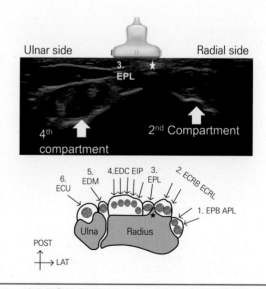

Fig 02. 가장 돌출된 융기인 Lister's tubercle(★)를 찾은 후 그 요측에 제2신전구획과 그 척측에 장무지신전건을 관찰할 수 있다. 그보다 척측에는 제4신전구획의 총수지 신전건의 횡단면이 관찰된다.

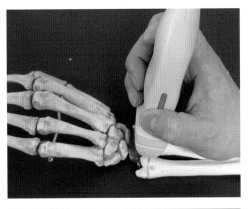

Fig 03. Lister's tubercle과 척골두 높이에 탐촉자를 단축으로 위치시킨다.

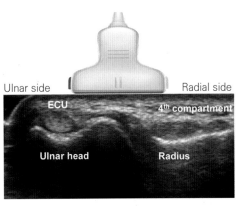

Fig 04. 중립 회전위에서는 척골두와 척수근 신전건 (extensor carpi ulnaris, ECU)이 관찰된다.

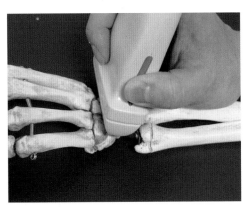

Fig 05.

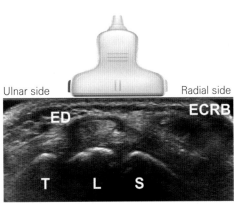

Fig 06. 좀 더 원위부로 탐촉자를 이동시키면 주상골 (S), 월상골(L), 삼각골(T)의 배측부를 관찰할 수 있다.

ED, extensor digitorum; ECRB, extensor carpi radialis brevis; T, triquetrum; L, lunate; S, scaphoid.

2) 장축 영상(long-axis)

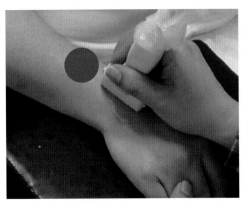

Fig 07. 탐촉자의 위치: 탐촉자의 표지자가 근위부로 가게 한다. 즉 근위부가 화면의 왼쪽에 표시되게 하고 원위부는 우측에 표시된다.

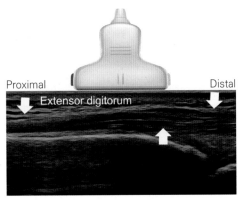

Fig 8. 사진에서 제4 신전구획 내의 총수지 신전건의 장축 음영을 볼 수 있다. 신전건 하방의 고에코 음영은 원위 요골이다.

3. 병적 소견

1) 신전건의 비후

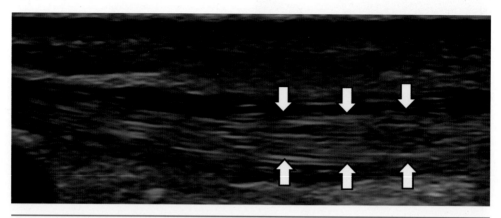

Fig 09. 신전건이 비후된 사진을 장축 영상으로 보여주고 있다.

2) 신전건 주위 삼출

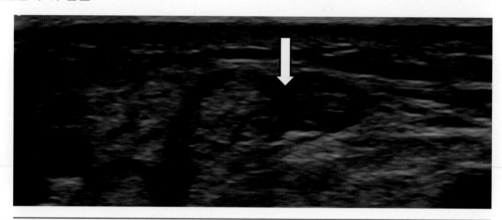

Fig 10. 건 주위의 삼출물(effusion)이 단축 영상으로 관찰된다.

3) 결절종(ganglion)

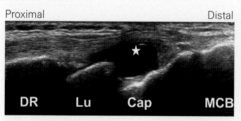

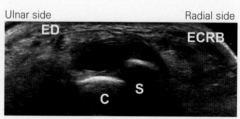

Fig 11. 종축 영상에서 저에코 음영의 결절종(★)이 관찰되며 주로 주상골, 월상골(Lu), 두상골(Cap) 경계가 그 시작점으로 생각된다.
DR, distal radius; Lu, lunate; Cap, capitate; MCB, metacarpal bone.

Fig 12. 단축 영상에서 저에코 음영의 결절종이 관찰되며 주로 주상골(S), 월상골, 두상골(C) 경계가 그 시작점으로 생각된다.
ED, extensor digitorum; ECRB, extensor carpi radialis brevis; C, capitate; S, scaphoid.

02 완관절 요측(Radial side)

1. 검사 자세

1) 팔의 자세

    (1) 주로 앉아서 시행하나 누운 자세도 가능하다.

    (2) 어깨는 중립위

    (3) 전완부 중립 회전 상태(중립위)

    (4) 편안한 지지대나 대퇴부에 손을 편하게 올려 놓은 자세로 손목은 중립(굴곡, 신전 0°) 자세에서 시작한다.

2. 해부학적 기본 지식

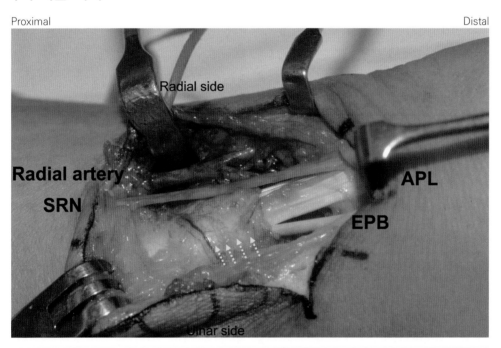

Fig 13. 요측에서는 장무지외전건(APL)과 단무지신전건(EPB)의 제1 신전구획이 있고 그 근처에 표재 요골 신경(superficial radial nerve, SRN)과 그 수장측에 요골 동맥이 관찰될 수 있다. 화살표는 신전지대(retinaculum)이다.
APL, abductor pollicis longus; EPB, extensor pollicis brevis.

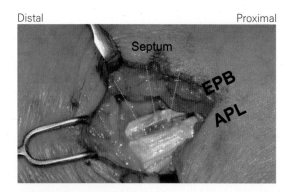

Fig 14. 장무지외전건과 단무지신전건은 하나의 공간에 위치할 수도 있으나 둘 사이에 격막(Septum)이 있어서 별개의 공간에 존재할 수 있다. APL, abductor pollicis longus; EPB, extensor pollicis brevis.

3. 정상 소견

1) 단축 영상(short-axis)

Fig 15. 탐촉자의 표지자가 척측 (혹은 배측)에 위치시 킨다. 그러면 초음파상 좌측인 척측 (혹은 배측)이 되고 우측은 요측 (혹은 장측)이 된다.

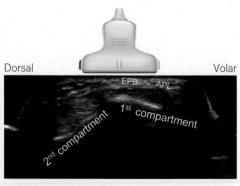

Fig 16. 1st compartment의 EPB와 APL을 관찰할 수 있으며 보다 배측(좌측)에 보이는 것이 EPB이다. 신전지대는 정상인 경우 매우 얇아 잘 관찰되지 않을 수 있다.
APL, abductor pollicis longus; EPB, extensor pollicis brevis.

2) 장축 영상(long-axis)

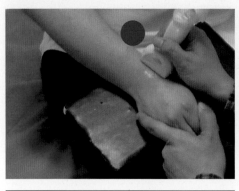

Fig 17. 탐촉자의 표지자가 근위부로 가게 한다. 이때 단무지신전건(extensor pollicis brevis , EPB), 장무지외전건(abductor pollicis longus, APL)의 주행이 손목 배측의 중앙에서 원위 부 요측으로 향하는 비스듬한 주행을 보이는 것을 감안해야 한다.

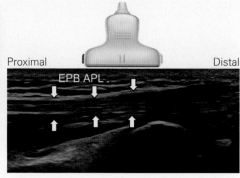

Fig 18. 제1신전구획의 장축 영상
제1신전구획의 장축 영상. 화면의 왼쪽은 근 위부, 오른쪽은 원위부가 되며 초음파 사진상 longaxis로 주행하는 EPB/APL을 관찰할 수 있다.

4. 병적 소견

1) 드꿰르방 병(장축 영상)

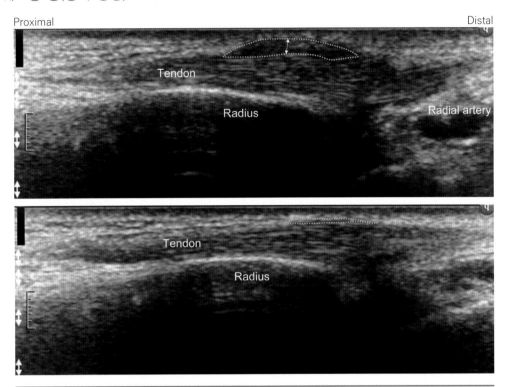

Proximal   Distal

Tendon

Radius

Radial artery

Tendon

Radius

Fig 19. 장축영상에서 두꺼워진 힘줄과 두꺼워진 신전지대(retinaculum)을 관찰할 수 있다. 병변이 없는 반대측과 비교하면 더 확연한 변화를 확인할 수 있다. 정상측의 신전지대는 매우 얇아 잘 관찰이 안되는 경우가 많다. 최근 문헌에 따르면 신전지대의 두께는 정상측은 0.35 mm ± 0.07, 병변측은 0.95 mm ± 0.37로 cutoff value는 0.45 mm 이다.

2) 드꿰르방 병(단축 영상)

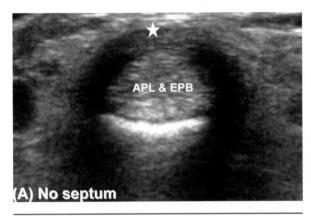

APL & EPB

(A) No septum

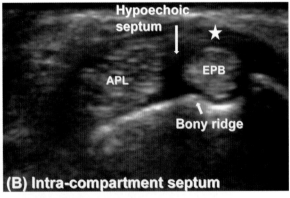

Hypoechoic septum

APL

EPB

Bony ridge

(B) Intra-compartment septum

Fig 20. APL과 EPB를 나누는 격막(septum)이 없는 경우 APL과 EPB는 구분이 안되서 보일 수도 있다. 두꺼운 retinaculum (★)을 역시 관찰할 수 있다.
APL, abductor pollicis longus; EPB, extensor pollicis brevis.

Fig 21. 격막이 있는 경우 보통은 약간의 저에코성을 보이면서 bony ridge가 동반된 경우도 있다. 신전지대(★)의 두께가 두꺼워지는 변화도 관찰되고 있다.
APL, abductor pollicis longus; EPB, extensor pollicis brevis.

03 완관절 장측(Volar side)

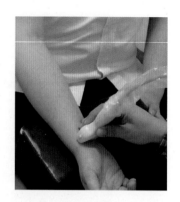

1. 검사 자세

1) 팔의 자세

(1) 주로 앉아서 시행하나 누운 자세도 가능하다.

(2) 어깨는 중립위

(3) 전완부 회외전

(4) 편안한 지지대나 대퇴부에 손을 편하게 올려 놓은 자세로 손목은 중립 혹은 신전 상태에서 시행한다.

2. 정상 소견

1) 단축 영상(short-axis)

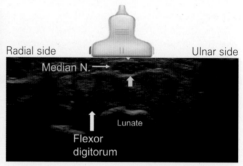

Fig 22. 탐촉자의 표지자가 요측(엄지손가락)에 가게 한다. 화면의 좌측은 요측이 되고 우측은 척측이 된다.

Fig 23. 단축 영상에서 손목의 중앙에 정중 신경이 보이며 그 하방에 9개의 무지 및 수지 굴곡건의 횡단면이 관찰된다. 그 하방의 고에코 영상은 수근골로 정중앙에는 월상골의 수장측이 관찰된다.

> ▼ **KEY POINT**
>
> 월상골의 hyperechoic 음영을 확인하는 것이 가장 빠르며 이 높이에서의 정중 신경이 보통 가장 크게 보인다.

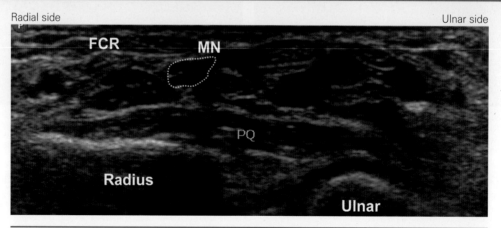

Fig 24. 조금 더 근위부의 단축영상에서는 요골과 척골 및 방형회내근(pronator quadratus, PQ)를 관찰할 수 있으며 요측수근굴근(flexor carpi radialis, FCR) 하방에서 정중 신경을 관찰할 수 있다.
MN, median nerve.

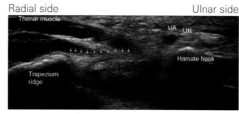

Fig 25. 수근관의 입구(carpal inlet)
주상골(scaphoid, S) tubercle과 두상골(pisi-form, P)이 그 요측/척측 경계이며 관내에 정중 신경(MN) 및 9개의 무지 및 수지 굴곡건이 관찰된다. 척골동맥(UA) 및 신경(UN)은 수근관 외 구조로 수근관의 표층에 위치한다.

Fig 26. 수근관의 출구(carpal outlet)
대다각골(trapezium) ridge와 유구골 돌기(ha-mate hook)가 요측/척측 경계이며 관내에 정중 신경(MN) 및 9개의 무지 및 수지 굴곡건이 관찰된다. 깊은 구조로 탐촉자를 근위부쪽으로 tilting (cranial tilting)해야 잘 보인다.

 KEY POINT

Bony landmark를 먼저 찾아야 한다. 보통 두꺼운 transverse carpal ligament(화살표)를 관찰할 수 있고 건 및 신경은 주행방향상 anisotrophy가 심하여 관찰이 쉽지 않다.

Normal variant

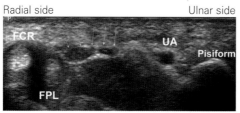

Fig 27. 사람에 따라 이분 정중 신경(bifid median nerve [→])이 관찰될 수 있다.
UA, ulnar nerve; FCR, flexor carpi ra-dialis; FPL, flexor pollicis longus; LUN, lunate.

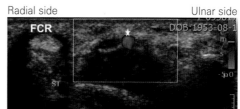

Fig 28. Bifid median nerve가 있는 경우 잔류 정중 동맥 (persistent median artery [★])도 관찰될 수 있다.
FCR, flexor carpi radialis; ST, scaphoid tubercle.

2) 장축 영상(long-axis)

Fig 29. 탐촉자의 표지자가 근위부로 가게 한다. 그러면 화면 상 좌측은 근위부, 우측은 원위부가 된다.

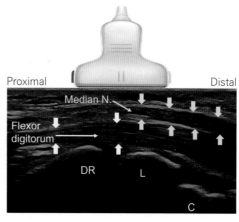

Fig 30. 종축으로 보다 표면으로 정중 신경이 보이고 (노란색 화살표) 그 하방으로 굴곡건이 보인다 (흰색 화살표) 그 하방은 왼쪽(근위부)부터 원위요골(DR), 월상골(L), 두상골(C)이다.
DR, distal radius; L, lunate; C, capitate.

3. 병적 소견

1) 수근관 증후군

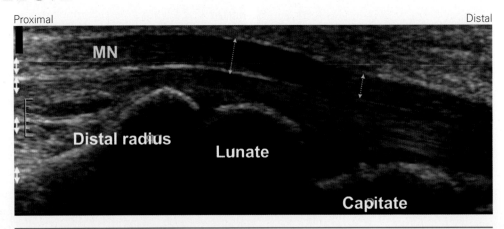

Fig 31. 수근관 증후군 환자의 장축 영상
근위부의 신경이 커진 것을 확인할 수 있다.

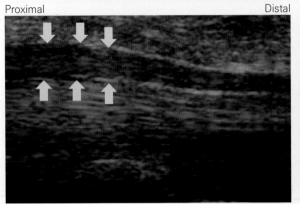

Fig 32. 수근관 증후군 환자의 장축 영상
만성적으로 눌린 부위의 근위부에서 정중 신경이 종창된 모습을 확인할 수 있다(화살표).

Fig 33. 단축 영상으로 화면의 좌측(요측)에서 FCR이 관찰되며 FCR의 척측으로 두꺼워진 정중 신경(노란색 화살표)이 관찰된다. 정중 신경의 상방으로 transverse carpal ligament(흰색 화살표)와 심부로 굴곡건(FT)의 횡단면이 관찰된다.
FCR, flexor carpi radialis; FT, flexor tendon.

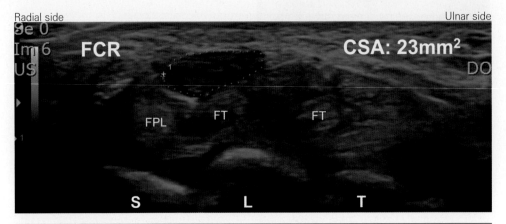

Fig 34. 단축 영상에서 수근관 증후군을 진단하는데 가장 흔히 사용되는 방법은 정중 신경이 가장 크게 보이는 영상을 찾아서 그 단면적(cross sectional area [CSA])을 측정하는 것으로 대략 10 mm^2 이상이면 수근관 증후군을 의심할 수 있다.
FCR, flexor carpi radialis; FPL, flexor pollicis longus; FT, flexor tendon; S, scaphoid; L, lunate; T, triquetrum.

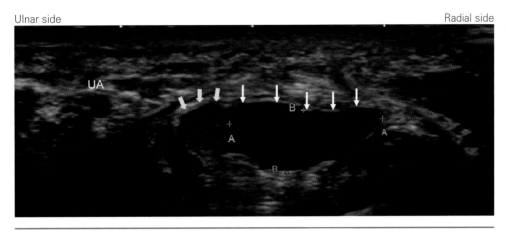

Fig 35. 단축 영상에서 수근관 내에 매우 큰 저에코 음영이 관찰되며 저에코 음영의 정도를 고려하면 결절종(흰색 화살표)으로 판단된다. 결절종에 의하여 정중 신경(노란색 화살표)은 척측으로 압박되어진 소견이다. 이는 매우 드문 소견으로 초음파가 아니라면 미리 알기 힘든 소견이다.
UA, ulnar artery.

2) Fibrolipomatous harmatoma

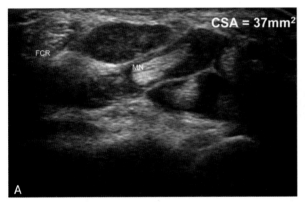
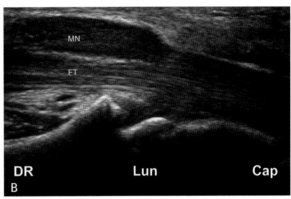

Fig 36. 타병원에서 영상 검사 없이 수근관 이완술을 시행 후 증상 호전이 없던 여성 환자로 단축 영상(A)에서 초음파상 원위요골 높이에서 매우 종창된 신경이 관찰된다. 장축 영상(B)에서도 근위부에 팽대된 정중 신경이 관찰된다.
CSA, cross sectional area; FCR, flexor carpi radialis; MN, median nerve; FT, flexor tendon; DR, distal radius; Lun, lunate; Cap, capitate.

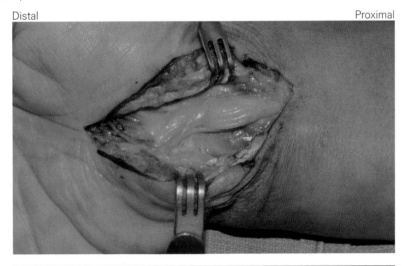

Fig 37. 수술 소견 상 특별한 압박없이 매우 종창된 정중 신경이 관찰되고 스파게티 가락 모양의 종괴로 보여 드문 신경의 양성 종양인 fibrolipomatous harmatoma 로 생각된다.

04 초음파유도하 주사요법(US-guided injection around wrist)

1. Radiocarpal joint injection or aspiration

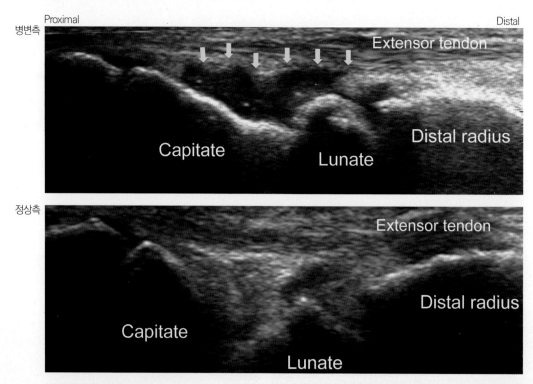

Fig 38. 손목의 세균성 관절염이 의심되던 70세 여자 환자로 손목 관절 내 저에코성 음영이 관찰되어 관절액 증가 소견(화살표)이 관찰된다.

🔽 KEY POINT

정상 측과 비교하여 정상 측에는 관절액이 증가되지 않음을 확인하면 보다 쉽게 진단할 수 있다. 건염과 관절염을 감별하는 데 유용하다. 활액막염이 심한 경우 2D 도플러 영상을 통하여 증가된 혈액순환 소견도 관찰할 수 있다.

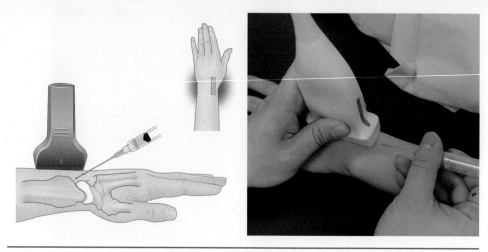

Fig 39. 이런 경우 radiocarpal joint의 배측에서 장축 영상을 얻은 후 In-plane으로 주사바늘을 넣어 aspiration 혹은 injection을 할 수 있다. 주사바늘은 근위 혹은 원위에서 삽입 가능하다.

2. De Quervain injection

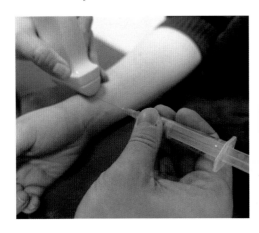

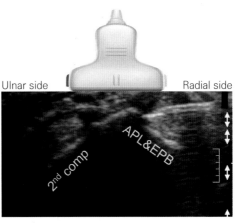

Fig 40. 드페르방 병의 제1 신전구획은 단축영상에서 In-plane으로 주사를 놓는 것이 쉬우며 요측 (수장측) 혹은 척측 (수배측)에서 접근이 가능하며 본 사진은 수장측에서 접근하는 방식이다.

Fig 41. 단축 영상에서 In-plane 방식으로 주사를 놓으면 요측 및 척측에서 접근할 수 있으며 본 영상은 요측에서 접근하여 주사를 놓는 장면이다. 격막이 없는 경우 한 번의 주사로 효과를 볼 수 있다.
2nd comp, 2nd compartment; APL, abductor pollicis longus; EPB, extensor pollicis brevis.

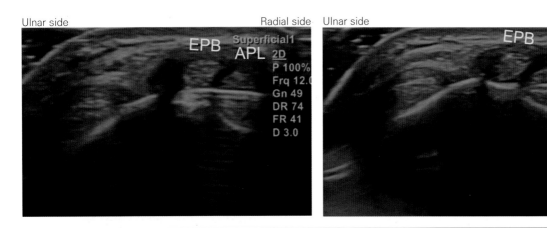

Fig 42. 마찬가지로 단축 영상에서 In-plane 방식으로 요측에서 접근하여 주사를 놓는 방법으로 격막이 있는 경우 EPB, APL 구획에 각각 주사를 하는 것이 이론적으로는 더 효과적이다.
APL, abductor pollicis longus; EPB, extensor pollicis brevis.

3. CTS injection

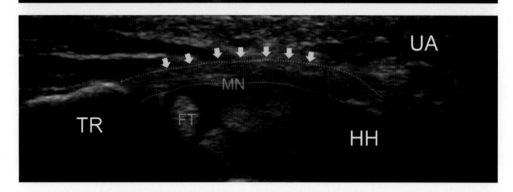

Fig 43. 60세 여자 환자로 전형적인 수근관 증후군 환자이다. 수근관 입구인 주상골(S)-두상골(P) 높이에서 관찰 시 두꺼워진 transverse carpal ligament(화살표)를 관찰할 수 있으며 약간 납작해진 정중 신경(MN)을 관찰할 수 있다. 환자의 경우 bifid median nerve로 생각된다. 수근관 내의 굴곡건 들도 명확히 관찰되고 있다. 좀 더 원위부로 가서 수근관 출구인 대다각골(TR)-유구골(HH) 높이로 가면 두꺼워지는 transverse carpal ligament(화살표 및 점선)이 더욱 명확하며 정중 신경은 보통 더 눌려 보인다. MN, median nerve; FCR, flexor carpi radialis; FT, flexor tendon; UA, ulnar artery; S, scaphoid tubercle; P, pisiform; TR, trapezium ridge; HH, hook of hamate.

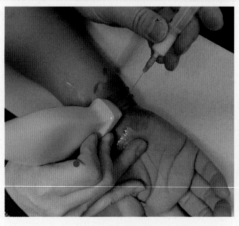

Fig 44. 손목에 단축으로 탐촉자를 위치시킨 후 In-plane으로 척측에서 주사바늘을 삽입하여 스테로이드를 국소 주입할 수 있다.

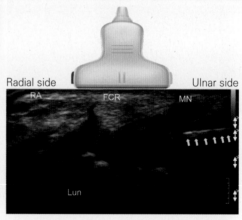

Fig 45. 초음파 소견으로 정중 신경(MN) 하방에 주사바늘(화살표)이 삽입되어 있다. MN, median nerve; FCR, flexor carpi radialis; RA, radial artery; Lun, lunate.

KEY POINT

정중 신경 주위에 주입하는 것도 중요하나 굴곡건의 비대 및 염증을 감소시키는 것도 작용기전의 하나이므로 꼭 정중 신경 근처를 고집하지 않고 그 주변에 주입하면 된다. 다음의 그림과 같이 요측으로 접근하는 것도 가능하다.

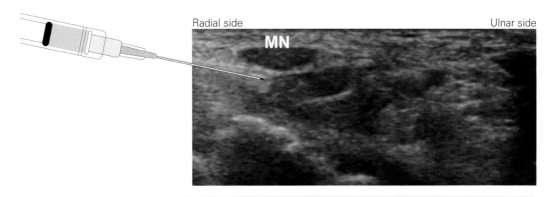

Fig 46. 정중 신경(MN)을 단축으로 관찰하면서 In-plane 방법으로 요측에서 주사바늘을 삽입하여 정중 신경의 하방에 손가락 굴곡건 힘줄 주위로 스테로이드 국소 주입중이다. 월상골 주위 정중 신경이 가장 크게 보이는 곳에서 주사를 놓고 있다. 요측에서 주사시에는 정중 신경의 내측수장분지(palmar cutaneous branch of median nerve)를 주의하여야 한다.
MN, median nerve.

P A R T

5 / 수부 Hand

■■ 박진영, 최인철, 김영환, 이현일

수부의 엄지 및 수지는 배측과 장측으로 구분하여 관절, 건, 인대를 관찰할 수 있으며 무지의 경우 특히 중수지절의 척측 측부 인대 손상에 대하여 초음파가 도움이 될 수 있겠습니다. 또한 각 부위에 필요한 초음파를 이용한 주사 치료도 소개하였습니다.

01 수부 배측(Dorsum)

1. 정상 소견

1) 장축 영상(long-axis)

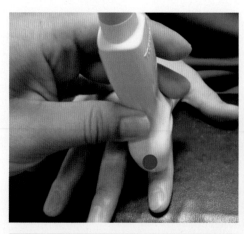

Fig 01. 탐촉자의 표지자가 원위부(손끝)를 향하게 한다. 이러면 초음파 영상의 좌측은 원위부 우측은 근위부가 된다.

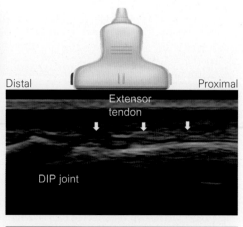

Fig 02. 수배부의 장축 영상에서 신전건을 관찰할 수 있다. 원위지골의 기저부에 삽입되는 얇은 종말 신전건(화살표)을 관찰할 수 있다.
DIP joint, distal interphalangeal joint.

2. 병적 소견

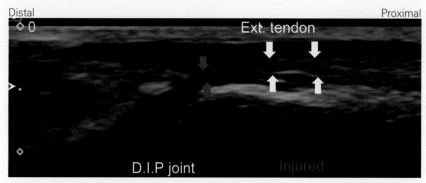

Fig 03. 원위지절 배부로 신전건의 파열로 인한 저에코 음영을 관찰할 수 있다. 건성 추지(tendinous mallet finger) 소견이다.
Ext. tendon, extensor tendon; D.I.P joint, distal interphalangeal joint.

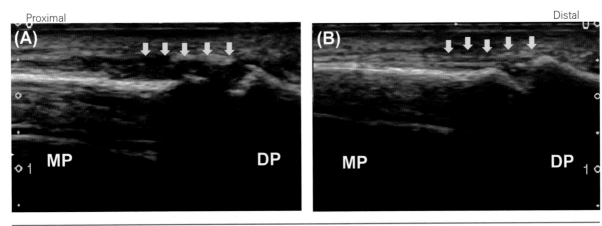

Fig 04. (A) 원위지절 배부로 신전건의 파열로 인한 신전건 연속성의 소실 소견(화살표)을 관찰할 수 있다. 건성 추지(tendinous mallet finger) 소견이다. (B) 정상의 경우 원위지골(DP) 끝까지 연속성이 유지된 종말 신전건을 잘 관찰할 수 있다.
DP, distal phalanx; MP, middle phalanx.

02 수부 장측(Volar side)

1. 중수지절 및 방아쇠수지

1) 정상 소견

(1) 장축 영상(long-axis)

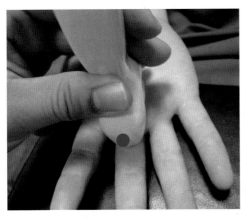

Fig 05. 탐촉자의 표지자는 원위부를 향하게 한다.

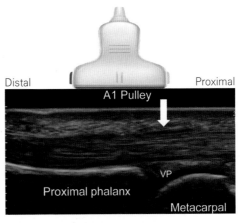

Fig 06. 수장부에서는 방아쇠 수지의 병변으로 중요한 A1 pulley와 굴곡건을 장축으로 관찰할 수 있다. 좌측이 원위부이며 중수지절 상방에서 굴곡건과 그 표면의 A1 pulley(화살표)를 관찰할 수 있다.
VP, volar plate.

(2) 단축 영상(short-axis)

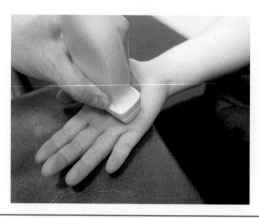

Fig 07. 탐촉자의 표지자는 보통 요측을 향하게 한다. 그러나 좌우에 따라 화면의 방향과 일치하게 위치시키는 것이 더 좋다.

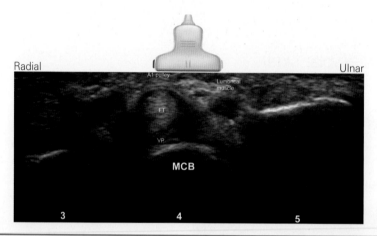

Fig 08. 중수골 두 부위의 단축 영상
4번째 손가락의 중수골(MCB) 상방으로 수장판(VP) 및 굴곡건(FT), A1 활차 등이 관찰되고 그 척측에 충양근(lumbrical)도 관찰된다.
VP, volar plate; FT, flexor tendon; MCB, metacarpal bone.

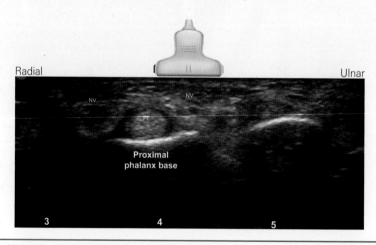

Fig 09. 위의 그림보다 조금 더 원위부인 근위지골 기저부에서의 단축 영상이다. 굴곡건(FT)과 주변의 신경-혈관 다발(NV)이 보이고 활차에 의하여 굴곡건이 뼈에 아주 가깝게 붙어 있는 정상적인 모습이다.
FT, flexor tendon; NV, neurovascualr bundle.

2) 병적 소견

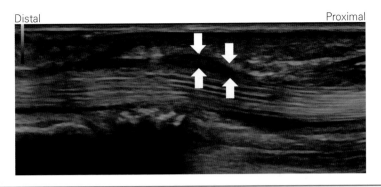

Fig 10. 방아쇠 수지의 장축 영상
A1 pulley(화살표)가 두꺼워져 있고(hypertrophy) 힘줄의 종창 또한 관찰된다.

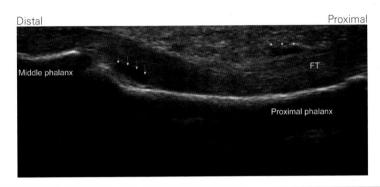

Fig 11. 방아쇠 수지 환자의 힘줄염 소견
힘줄(FT) 주변으로 저에코 영상의 fluid collection이 관찰되며 힘줄염(tenosynovitis) 소견이다.
FT, flexor tendon.

2. 근위지절

1) 정상 소견

(1) 장축 영상(long-axis)

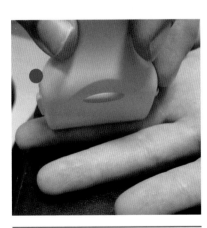

Fig 12. 탐촉자의 표지자는 원위부를 향하게 한다.

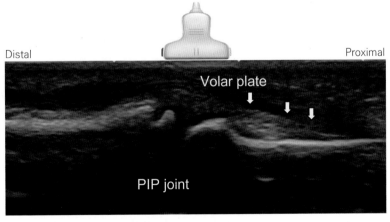

Fig 13. 초음파 영상에서 근위지절의 표층으로 수장판(화살표)의 장축 영상이 관찰되고 있다.
PIP joint, proximal interphalangeal joint.

2) 병적 소견

(1) 수장판 파열

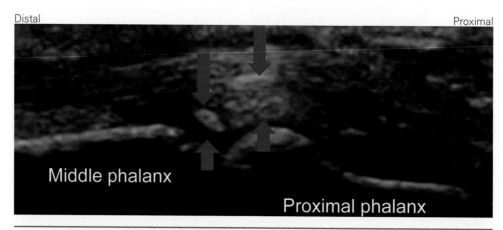

Fig 14. 외상 후 수장판 파열 혹은 건열 골절이 쉽게 일어날 수 있으며 주로 중위지골 기저부에서 건열된다. 장축 영상에서 수장판(화살표)의 원위부에 저에코 음영이 관찰되어 파열이 의심된다.

(2) Bowstring

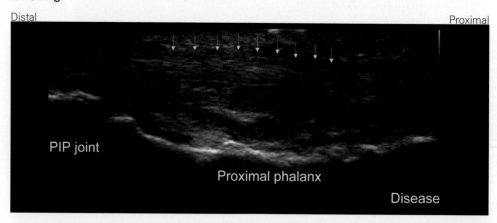

Fig 15. 56세 남자 환자로 이전의 수술 및 감염에 의하여 A2 활차의 기능이 소실된 상태로 굴곡건이 근위지골에 밀착되어 있지 않고 bowstring 소견이 관찰된다(화살표).

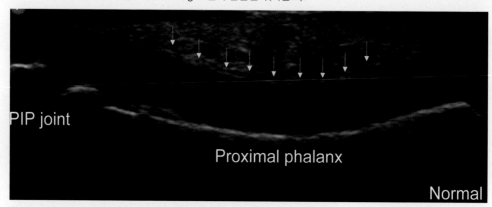

Fig 16. 같은 환자의 정상측으로 A2 활차는 얇아서 초음파상 잘 관찰되지 않으나, 정상 A2 활차에 의하여 굴곡건이 근위지골에 밀착되어 있음(화살표)을 알 수 있으며 bowstring 소견은 관찰되지 않는다.
PIP joint, proximal interphalangeal joint.

03 수부 무지의 Stener 병변(Stener lesion: Thumb MP ulnar side)

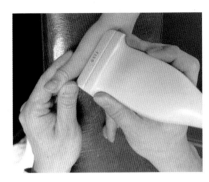

Fig 17. 탐촉자의 표지자는 원위부를 향하게 한다.

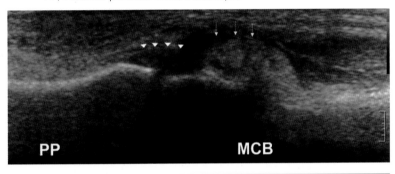

Fig 18. 정상측 초음파상 얇은 정상 척측 측부인대(화살표)를 관찰할 수 있다. 이 그림에서는 adductor aponeurosis와 척측 측부인대가 명확히 구분되어 보이지는 않는다.
PP, Proximal phalanx; MCB, metacarpal.

 KEY POINT

Collateral ligament는 근위부 배부에서 원위부 수장부로 사선으로 주행하므로 탐촉자도 원위부가 근위부보다는 수장부로 향하도록 약간 기울이는 것이 좋다.

Fig 19. Stener 병변의 초음파 소견
수상 받은 쪽은 중수골두 부위로 두껍고 근위부로 전위된 측부인대(화살표)를 관찰할 수 있어 adductor aponeurosis (▽) 바깥으로 튀어나온 Stener lesion이 의심된다.
PP, Proximal phalanx; MCB, metacarpal.

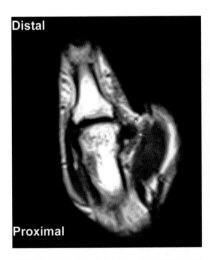

Fig 20. 같은 환자의 MRI에서 중수지절 척측의 근위부에 Stener 병변(화살표)이 관찰된다.

Fig 21. 수술장 소견
내전근 근막(▽)에 막혀 원래의 위치로 돌아가지 못한 척측 측부인대(화살표)가 관찰된다.

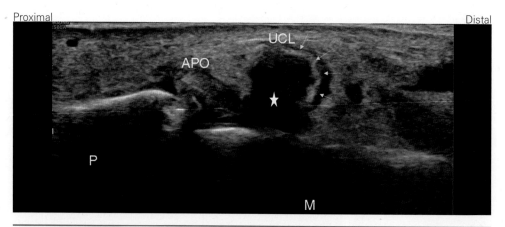

Proximal   Distal

Fig 22. 병변의 초음파 소견
이 증례는 뼈를 물고 떨어진 견열골절에 의한 Stener 병변으로 근위측으로 전위되고 종창된 인대(★, UCL)를 관찰할 수 있으며 이와 연결된 뼈 조각(화살표)도 관찰된다.
APO, adductor aponeurosis; P, proximal phalanx; M, metacarpal; UCL, ulnar collateral ligament.

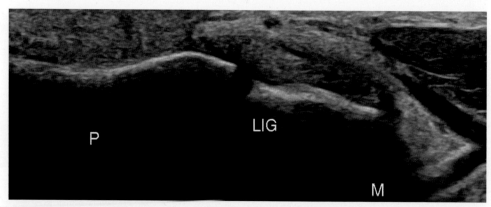

Fig 23. 정상 척측 측부인대의 초음파 소견
정상측으로 정상 두께의 인대(LIG)가 관찰된다.
P, proximal phalanx; M, metacarpal; LIG, ulnar collateral ligament.

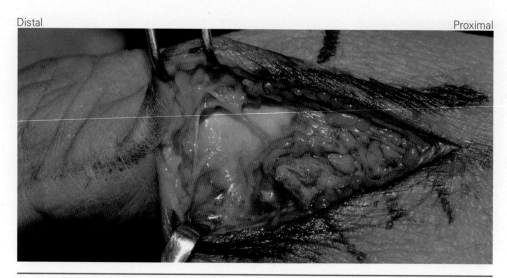

Distal   Proximal

Fig 24. 같은 증례로 adductor aponeurosis와 그 근위부로 전위된 인대 및 골편을 관찰할 수 있다.

04 초음파 유도하 주사요법(US-guided injection around hand)

1. Thumb CMC joint

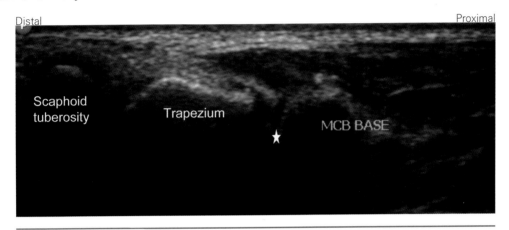

Distal   Proximal

Scaphoid tuberosity   Trapezium   ★   MCB BASE

Fig 25. 정상 CMC joint
32세 남자로 무지 수장-중수지 관절(★)의 정상 소견이 관찰되고 있다.

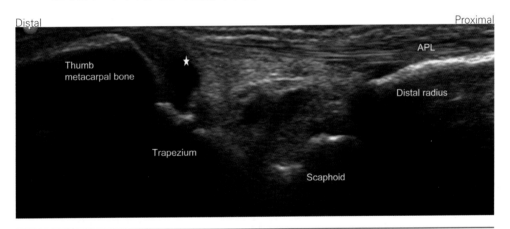

Distal   Proximal

Thumb metacarpal bone   ★   APL   Distal radius   Trapezium   Scaphoid

Fig 26. CMC 관절염 초음파 소견
62세 여자 환자로 무지 수장-중수지 관절에 아탈구와 fluid collection(★) 소견이 관찰되고 있다.

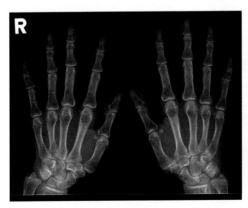

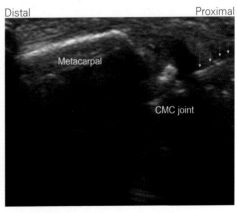

Distal   Proximal

Metacarpal   CMC joint

Fig 27. 같은 환자로 좌측 무지 수장-중수지 관절에 초기 관절염 소견이 관찰된다.

Fig 28. 같은 환자로 좌측 무지 수장-중수지 관절에 대하여 장축 영상을 만든 후 근위부에서 주사를 삽입하여 In-plane 기법을 이용하여 관절 내로 국소 스테로이드 주입술을 시도하고 있다.

2. Thumb MP joint

Distal   Proximal

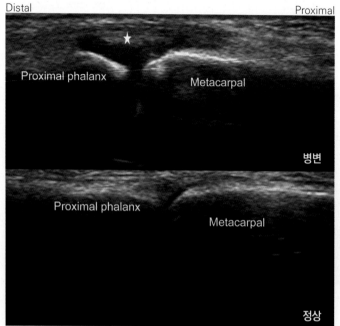

Fig 29. 무지 중수지절의 염증
42세 여자 환자로 무지 중수지절의 배측을 장축 영상으로 관찰하였고 저에코의 fluid collection (★)이 관찰된다. 류마티스 관절염 혹은 일과성 활액막염 소견이다.

Fig 30. 정상 무지 중수지절 초음파 소견
같은 환자의 정상측으로 관절액이 증가한 소견이 보이지 않는다.

Distal   Proximal

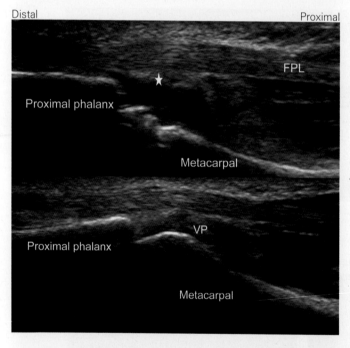

Fig 31. 수장측 중수지절의 초음파 소견
같은 환자로 수장측에서도 중수지절에 저에코의 fluid collection (★)이 관찰된다.

Fig 32. 정상측 중수지절의 초음파 소견
정상측은 이와 대조적으로 정상의 수장판(VP)만 관찰된다.

Distal   Proximal

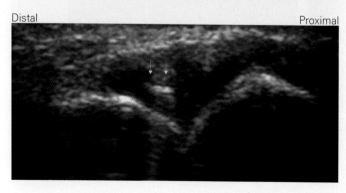

Fig 33. 무지 중수지절의 주사 요법
무지 배측에 대하여 장축 영상을 얻은 후 Out-of-plane 기법으로 바늘 끝(화살표)을 관찰하면서 국소 스테로이드 주입을 시도 중이다.

3. PIP joint

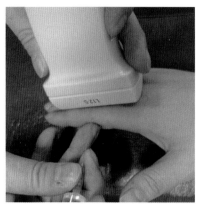

Fig 34. 탐촉자의 위치

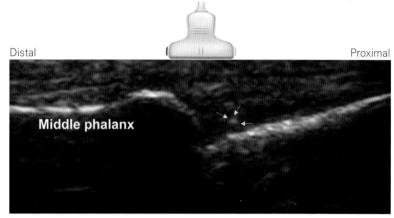

Distal   Proximal

Middle phalanx

Fig 35. PIP joint 주사 치료 초음파 소견
류마티스 관절염 환자의 근위지절 배측에 초음파는 장축 영상을 얻은 상태에서
Out-of-plane 방식으로 국소 스테로이드 주입을 시행하는 사진이다. 바늘 끝
(화살표)이 관절내에 관찰된다.

4. 방아쇠 수지

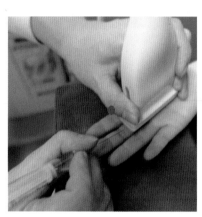

Fig 36. 탐촉자의 위치는 해당 수지의 장축
영상을 얻은 후 In-plane 방식으
로 근위부 혹은 원위부에서 접근하
여 주사를 놓을 수 있다.

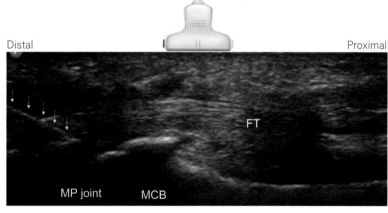

Distal   Proximal

FT

MP joint   MCB

Fig 37. 장축 영상을 얻은 후 원위부에서 주사바늘(화살표)을 넣어 In-plane 방식으로
스테로이드를 국소 주입한다. 힘줄과 뼈 사이 공간 혹은 2개의 힘줄 사이 공간 등
에 loss of pressure 기법을 병용하여 주사한다.
FT, flexor tendon; MCB, metacarpal bone head; MP joint, metacarpo-
phalangeal joint.

 KEY POINT

근위부에서도 접근이 가능하며 Out-of-plane으로 요측이나 척측에서도 접근이 가능하여 익숙한 방법으로 시
행하면 된다.

6 척추 Spine

■■ 김태균, 김대희, 김창수, 선승덕

척추 초음파는 다른 부위 초음파와는 달리 진단적 목적의 유용성은 높지 않은 반면, 치료적 목적의 초음파 유용성이 매우 뛰어납니다. 이 책에서는 경추, 흉추, 요추 순서로 각 척추에서 주로 이루어지는 신경차단술을 중심으로 초음파 상의 해부학적 구조와 시술 방법이 기술되어 있습니다.

01 척추 시술의 기초(Basics of intervention for spine)

1. 시술 방법에 따른 영상(imaging technique)

 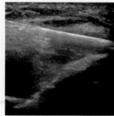  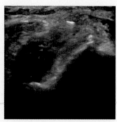

Fig 01. In-plane 방법   Fig 02. Out-of-plane 방법

2. 시술의 준비

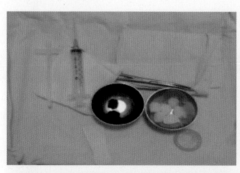 

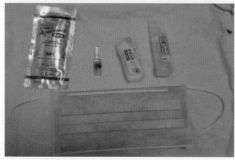 

1) 마스크 착용
2) 아이오다인 소독 후 주사제를 만든다 (주사제를 만드는 동안 아이오다인이 마른다).
3) 주사제를 미리 만들어 놓지 말 것.

3. 시술의 금기

1) Infection sign at the site

2) Allergy to local anesthetic

3) Coagulopathy

4) Platelet count 〈 100,000

5) Spine abnormalities and surgeries

6) Unstable spine from trauma

02 경추 시술(Cervical interventions)

1. 경추의 전방 횡축 스캔(anterior transverse scan of cervical spine)

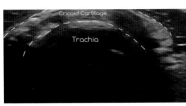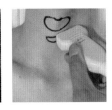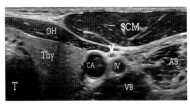

Fig 03. TT : 기관(Trachea), Thy: 갑상선(Thyroid), OH : 견갑설골근(Omohyoid M.), CA :경동맥(Carotid Artery) ,
SCM : 흉쇄유돌근(Sternocleiomastoid M.), V : 미주신경(Vagus Nerve.), VB : 추골동맥(Verterbral Artery),
JV : 경정맥(Jugular Vein.), AS : 전사각근(Anterior Scalene M.)

2. 해부학

1) 경추 척추체

전형적인 경추 척추체는 해당 횡돌기에 추골 동맥이 지나가는 횡돌기공(foramen transversarium)이 있으며 앞쪽으로는 전방 결절(anterior tubercle), 후방으로는 후방 결절(posterior tubercle)이 위치하고 있다. 이 양 결절 사이로 해당 경추 신경뿌리가 지나간다.

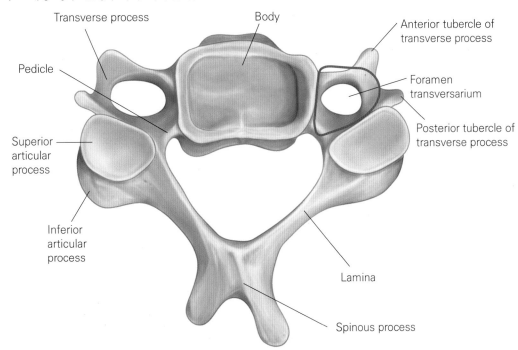

2) 경추의 신경뿌리

(1) 경추 신경뿌리의 신경뿌리의 해부학적 위치는 요추와 다르게 해당 추간판에서 하위 분절의 경추 신경이 분지하기 때문에 차단술 시 참고하여 적절한 신경뿌리를 주사 하여야 한다. 예를 들면 C6-7 추간판의 경우 C7 신경뿌리가 눌리며 C7 신경뿌리는 C6-7 추간공을 지나 C7 횡돌기(transverse process)위에 위치하게 되며 초음파 차단 시 C7 횡돌기를 지나가는 신경뿌리를 차단하여야 한다.

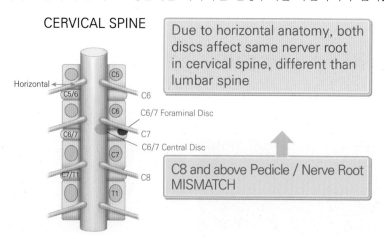

(2) C5 신경뿌리는 C5 횡돌기(transverse process)의 전후방 결절(anterior, posterior tubercle) 사이를 C6 신경뿌리는 C6 횡돌기의 전후방결절사이를 C7 신경뿌리는 C7 횡돌기 위를 지나간다.

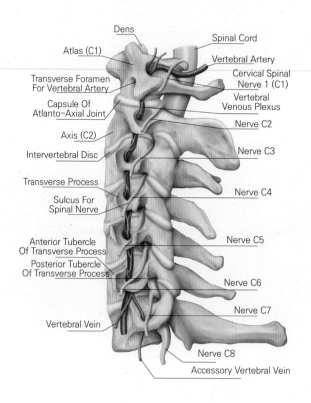

3) 경추 주요구조물의 위치적 특성

(1) 경추 초음파의 신경 차단에 있어서 윤상연골(cricoid cartilage) 위치와 경추 횡단면에 대한 이해가 필요하다.

(2) 중앙으로부터 기관(trachea), 그리고 그 후방의 식도(esophagus), 기관(trachea)을 싸고 있는 갑상선(thyroid gland)을 확인할 수 있으면 그 외측에 박동(pulsation)하고 있는 경동맥(carotid artery)을 확인할 수 있다. 그 외측의 전사각근(anterior scalene muscle)과 중사각근(middle scalene muscle) 사이의 상완신경총이 위치하며 상완신경총의 줄기(trunk)를 따라 근위부로 탐촉자를 이동하면 신경뿌리들을 확인할 수 있다.

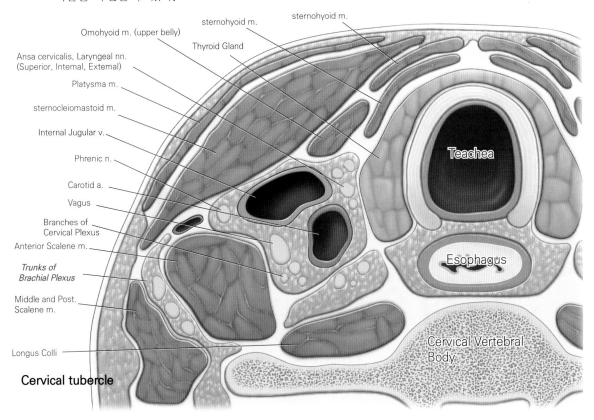

4) 경추의 주요혈관-척추 동맥

C2 부터 C6 까지는 척추동맥(vertebral artery)이 주행하는 횡돌기공(transverse foramen)이 존재하지만 척추동맥(vertebral artery)은 C7 횡돌기에서는 C7의 전방결절이 없이 후방결절(posterior tubercle) 앞에 위치하게 되어 초음파 소견상 C7 신경뿌리를 다른 경추 신경뿌리와 구분할 수 있는 해부학적 표시가 된다.

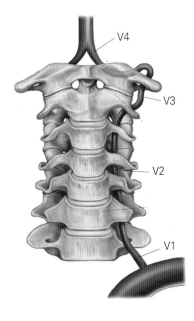

3. 경추 신경뿌리 차단술(Cervical root block)

1) 정상 경추 결절(cervical tubercle)의 골격 해부학

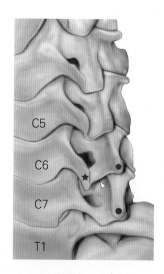

초음파상 경추신경뿌리(cervical root) 의 구별은 여러 가지 방법으로 할 수 있다. 그 중 가장 확실한 방법은 결절(tubercle)의 양상을 초음파로 보면서 확인하는 것이다. 좌측 그림과 같이 C7 결절(tubercle)은 후방결절(posterior tubercle)만 있으며, C6 횡돌기의 결절(tubercle)은 2개가 넓직한 거리를 두고 전방결절(anterior tubercle)과 후방결절(posterior tubercle)이 위치하고 있다. C5도 전, 후방 결절(anterior, posterior tubercle)이 있는데 전후방결절(anterior, posterior tubercle)의 간격은 C6 보다는 간격이 좁고 C4의 결절들은 더 간격이 좁은 소견을 보이고 있다. 이들 결절들의 모양이 초음파 상으로 신경 차단 위치를 확인하는 데 도움이 된다.

2) 초음파 해부학

(1) 윤상연골(cricoid cartilage) 중심으로 횡단면의 초음파 소견을 보면 좌측 경동맥(carotid artery)을 중심으로 내측의 갑상선(thyroid), 식도(esophagus)를 확인 할 수 있으면 그 외측의 경동맥(CA), 그 외측의 전방결절(＊)과 후방결절(★)을 확인할 수 있다.

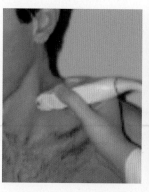
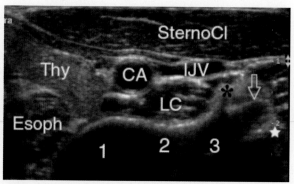

(2) 우측 C6 위치: C 6 경추신경뿌리를 확인 할 수 있다. 내측의 기관을 싸고 있는 갑상선(thy) 그리고 그 외측의 경동맥, 더 외측에 보이는 전방결절과 그 외측의 후방결절(★)이 보이며 결절들 사이를 지나가는 C6 경추신경뿌리(⇩)를 확인할 수 있다.

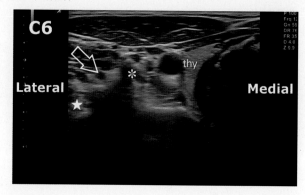

(3) 우측 C7 위치: C7 경추신경뿌리를 확인할 수 있다. 횡돌기의 전방결절(anterior tubercle) 없이 외측 후방결절(★)만 위치하고 있으며 후방결절의 내측을 지나가고 있는 C7 경추신경뿌리(⇩)를 확인할 수 있다.

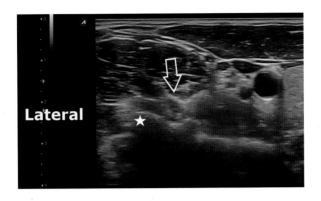

(4) 추골동맥(vertebral artery): 우측 C7 신경뿌리(root) 부근에서 도플러 초음파를 확인하면 C7 신경뿌리(root) 내측에 박동(pulsation)하고 있는 추골동맥(vertebral artery)을 확인할 수 있다. 이 부근에서 신경뿌리 차단 시 약이 동맥내 주입이 되지 않도록 조심하여야 한다.

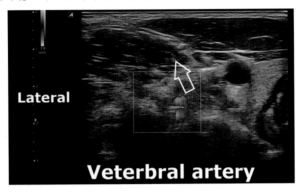

(5) C5 위치: C6 위치에서 상방으로 초음파 탐촉자를 평행이동하면 C6의 전방결절(*), 후방결절(★) 사이보다 좁아져 보이는 C5의 전후방 결절을 확인할 수 있다.

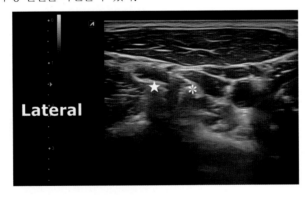

(6) 우측 C4 위치: C4 횡돌기 전후결절의 간격은 C5보다 간격이 더 작으며 특징적으로 내측에서 경동맥이 분지 (bifurcation [⇩])가 되는 것을 확인할 수 있다.

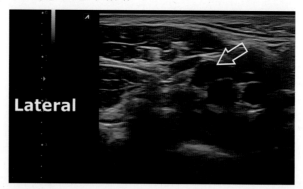

🔻 KEY POINT

1. 경추 신경뿌리를 찾기 힘든 경우 박동하고 있는 경동맥(carotid artery)의 지름넓이 정도로 외측으로 1과 ½ ~ 2배 되는 거리의 외측부근을 관찰하면 경추신경뿌리가 지나가는 것을 확인할 수 있다.
2. 경추 신경뿌리가 잘 안보이는 경우 전사각근(anterior scalene muscle)과 중사각근(middle scalene muscle) 사이를 지나가는 상완신경총의 줄기(brachial plexus trunk)를 확인하고 그것을 따라 근위부로 탐촉자를 평행 이동하면 전후방결절(anterior , posterior tubercle)사이로 들어가는 경추 신경뿌리를 확인할 수 있다.

3) 환자의 자세

보통 초음파 유도하 경추신경뿌리(cervical root block)은 측와위(lateral position)로, 초음파 탐촉자를 횡으로 위치시키고 In-plane technique으로 주사를 놓는 것이 좋다. 앙와위(supine position)에서 횡돌기의 후방결절(posterior tubercle) 로 접근하려면 주사기 바늘이 테이블에 걸려 시술이 어렵다.

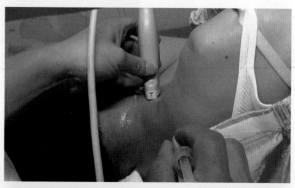

4) 주사바늘의 후방 접근

우측 C6 위치: C6 신경뿌리(⇩)를 초음파 가이드로 차단하는 모습을 보여주고 있다. 환자는 측와위(lateral position)에서 초음파 탐촉자는 횡방향으로 위치시킨다. 후방에서 주사바늘을 횡돌기의 후결절에 접촉하고 경추신경뿌리(cervical root)가 보이는 곳에 주사바늘(*)의 경사면(bevel)을 후방으로 향하게 하고 약을 주입하도록 한다.

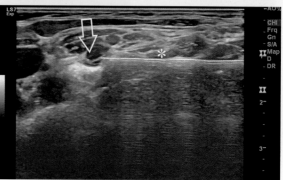

🔻 KEY POINT

1. 환자는 가능한 한 침대에 눕혀서 신경차단을 시행하는 것이 좋다. 가끔 의자에 앉혀서 시술을 하는 경우가 있는데 환자가 쇽에 의해 쓰러지는 경우가 있기 때문이다.
2. 경추 신경뿌리에 주사바늘의 접근은 가능한 한 탐촉자의 하단 면에 평행한 방향으로 들어가는 것이 바늘을 확인하는 데 도움이 된다.

4. 내측분지 신경 차단술

1) 기본 해부학

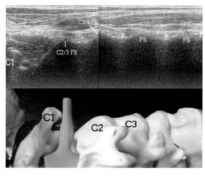

탐촉자를 유양돌기(mastoid process) 하방에 종단으로 위치시키면 다음과 같은 영상을 얻을 수 있다. 해부학 모형에서 보듯이 경추 2번은 머리쪽에서 급격하게 깊어지는 것을 볼 수 있는데 이 부위는 초음파 영상에서 중요한 표지자가 된다. 먼저 경추 2번을 확인하고 그 곳에서부터 아래로 세어(count down) 내려가며 위치를 확인하면 된다.

2) 목표 주사점

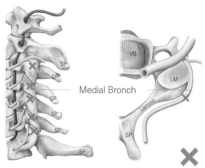

목표하는 주사점은 내측 분지 신경이 갈라져 나와 articular pillar를 돌아 나가는데 이때 신경이 지나는 주행 경로인 articular pillar의 움푹 들어간(waist) 곳이 주사의 목표점이 된다.

3) 초음파 유도하 주사요법의 실제

(1) Out-of-plane 방법

다음 초음파 영상에서 보이는 움푹 들어간 허리 부위를 목표점으로 사진과 같이 주사한다.

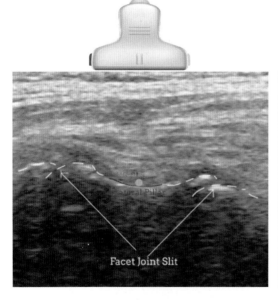

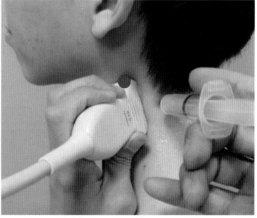

(2) In-plane 방법

① 위치 확인

종단 영상을 통해 위치를 확인한 후 탐촉자를 돌려 횡단 영상을 얻어 주사를 시행한다. 횡단 영상에서 후방 돌기와 pillar를 확인하는데, 이때 그림 2처럼 위로 솟은 부위는 후관절 부위이고 그림 3처럼 움푹 들어간 부위가 허리(waist)이다. 주사의 목표점은 허리부위이다.

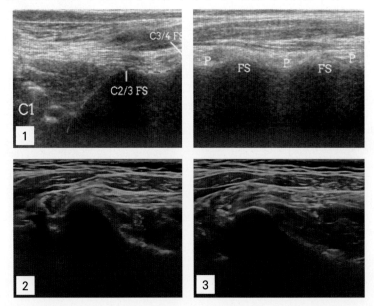

② 주사

초음파 영상에서 보이는 lateral mass를 확인하고 바늘을 보면서 사진과 같이 후 외측에서 주사하면 된다. 이때 한 개의 후관절이 두 개의 내측 분지 신경의 지배를 받기 때문에 적어도 두 군데 이상 시행하여야 한다.

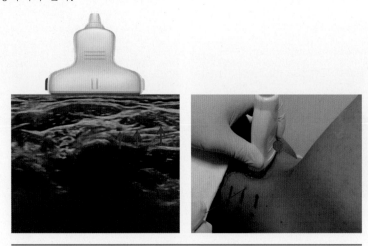

Fig 04. In-plane 방법(화살표는 주사바늘의 주행방행)

▼ KEY POINT

내측분지 신경 차단술 시행 시 내측분지는 후관절에 두 개의 신경 지배를 받고 증상이 서로 겹치기 때문에 적어도 2곳의 내측분지 신경 차단술을 시행하여야 한다. 필자는 보통 한 번 시행 시 3,4부위의 내측분지 신경 차단술을 시행한다.

03 / 흉추 시술(Thoracic Interventions)

1. 해부학

1) 초음파 영상

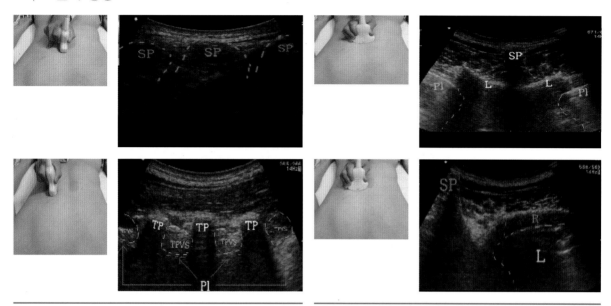

Fig 05. 장축 영상

Fig 06. 단축 영상

2) 흉추 주위공간(TPVS)의 모식도

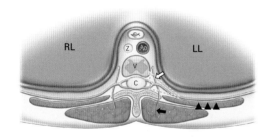

Fig 07. 경계
  - 하부 : Origin of psoas muscle (L1)
  - 내측 : Epidural space
  - 상부 : Cervical region (not defined)

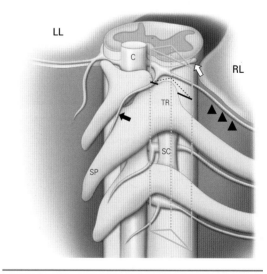

Fig 08. 구조물
  - Intercostal nerve (spinal nerve)
  - Dorsal ramus
  - Sympathetic chain

107

2. 흉추 주위공간 차단술(thoracic paravertebral block)

1) 위치(level) 정하기

(1) 등 부위가 아픈 환자의 경우 같은 통증 부위의 근접 분절에 흉추 주위공간 차단술을 시행하면 된다.

(2) 옆구리 부위가 아픈 환자의 경우 같은 높이의 흉추 분절에 주사를 하는 것이 아니라 통증부위에서 늑골을 만져 같은 늑골의 내측 부위를 확인하고 흉추 주위공간 차단술을 시행하면 된다.

2) 주사 방법

(1) 종단 스캔(longitudinal) 방법

종단 스캔의 경우 가장 넓은 흉추 주위공간에서 주사를 할 수 있기 때문에 바늘과 폐의 거리를 어느 정도 유지하면서 시술을 할 수 있으나 관통하는 바늘의 각이 커서 바늘을 보기가 쉽지않다.

(2) 횡단 스캔(transverse) 방법

반면 횡단 스캔 방법의 경우 보다 용이하게 바늘을 관찰할 수 있어 주행 경로를 보기가 용이한 반면 외측에서 좁은 TPVS를 지나야 하며 내측으로 어느 정도 들어가면 바늘이 사라지는 단점이 있다. 더 우수한 방법은 따로 없으며 본인의 선호도에 따라 선택해서 주사하면 된다.

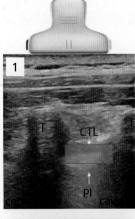
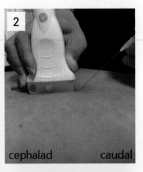
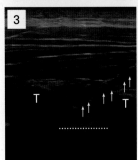

Fig 08. 종단 스캔(longitudinal) 방법

1. 위치를 정한 후 주사 할 위치의 다리 쪽 측부돌기의 ½ 정도가 보이게 탐촉자를 위치시킨다(만약 측부돌기가 전부 보일 정도로 탐촉자를 위치 시킬 경우 바늘의 각도가 작아져 하방의 측부돌기를 지난 후 흉추 주위공간에 들어가지 못하고 상방 측부돌기에 부딪힐 수 있다).

2. 최대한 탐촉자에 가깝게 주사 삽입점을 잡고 바늘을 삽입한다. 이때 바늘 절단면의 방향이 상방을 향하게 하는 것이 좋다.

3. 바늘을 전진시켜 하방의 측부돌기를 스치듯 지나간 후 늑골횡돌기인대(costotransverse ligament)를 뚫고 흉추 주위공간에 바늘 끝을 위치 시킨다.

4. 주사약을 주입하면서 폐가 하방으로 밀리는 것을 확인하면 흉추 주위공간에 약물이 잘 주입된 것이다.

   (사진 3에 비해 사진 4에서 늑막이 하방으로 밀리는 것을 확인할 수 있음)

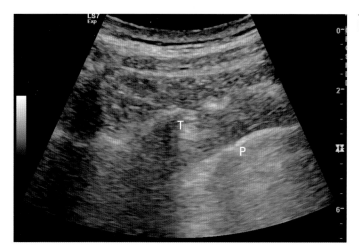

Fig 09. 횡단 스캔(transverse) 방법

횡단스캔을 위해 탐촉자를 극상돌기의 외측에 위치시키고 횡돌기와 흉막를 확인하고 흉막과 내늑간막(internal intercostal membrane) 사이에 저 에코성(hypoechoic)의 공간인 후늑간공간(posterior intercostal space)과 이와 연결되는 내측의 흉추 주위공간을 확인한다. 바늘을 외측에서 내측으로 In-plane 접근법을 이용하여 흉추 주위공간에 약물을 주입하면 된다.

T, transverse process; P, pleura.

KEY POINT

흉추 주위공간 차단술에서 가장 유의해야 할 점은 주사바늘의 위치를 놓쳐서는 안 된다는 점이다.이를 위한 tip으로 주사바늘 삽입 시 먼저 횡돌기 상방을 주사바늘로 확인하여 깊이를 인지한 후 들어가는 방법, 바늘을 전진 후 약간 뒤로 뺀 후 들러가기를 반복하여 tip을 놓치지 않게 하는 방법 및 위치가 애매할 때 약간의 약제를 주사하여 tip 을 확인 하는 방법 등이 있겠다.

3. 흉추 내측분지 차단술(thoracic medial branch block)

1) 해부학적 목표점

흉추는 특이하게 횡돌기와 늑골이 관절을 이루고 있는데 흉추의 내측 분지 신경은 두 뼈가 만나 관절을 이루는 부위에서 머리쪽에 위치하고 있다. 그러나 유의해야 할 점은 각각의 흉추 분절에서 서로 다른 주행을 하기 때문에 이를 잘 숙지해야 한다.

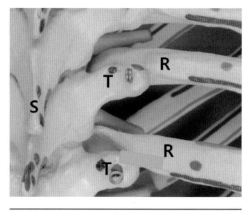

Fig 10. S, spinous process.
■: Target point

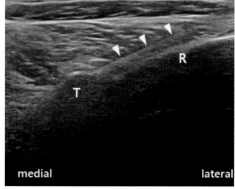

Fig 11. T, transverse process; R, Rib.

2) 흉추 분절에 따른 내측분지 신경의 위치 차이

흉추의 내측분지 신경은 흉추1-4와 흉추9-10 에서는 횡돌기의 상부 가장자리에서 뼈와 닿아있다. 반면 흉추5-8에서는 뼈에서 약간 떨어져 머리 쪽에 위치한다. 그리고 흉추11-12에서는 요추와 유사한 주행을 갖는다.

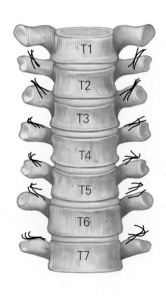 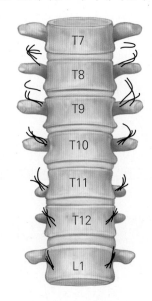

3) 주사 방법

(1) 1-4 & 9-10

탐촉자를 다리 쪽에서 머리 쪽으로 이동하며 늑골과 횡돌기가 보였다 사라지는 지점을 확인하고 다시 탐촉자를 다리 쪽으로 내려 늑골과 횡돌기가 보이기 시작하는 점에 위치 시키고 사진 1의 * 표시된 부위에 주사하면 된다.

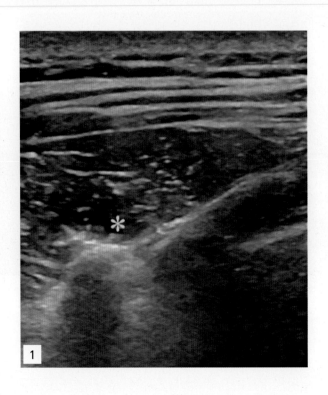

(2) T5-8

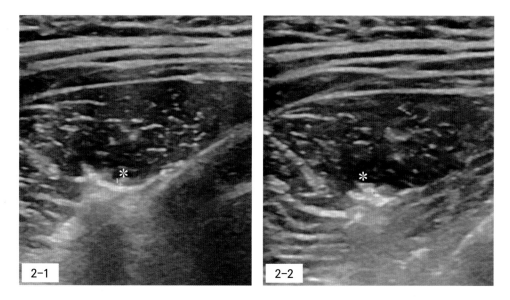

2-1. 1번 방법처럼 위치를 찾은 후 주사할 높이에 먼저 표시(초음파 기능에 표시할 수 있는 기능이 있음)한다.

2-2. 다음으로 탐촉자를 머리쪽으로 1 cm 정도 이동시켜 표시된 지점에 주사하면 된다.

4. 늑간 신경 차단술(intercostal blok)

1) 주사를 하고자 하는 늑간 신경이 지나는 늑골과 바로 하방의 늑골을 동시에 보이게 탐촉자를 위치시킨다.

2) 도플러 모드를 이용하여 지나가는 혈관의 위치를 확인하고 혈관을 피해 주사하면 된다.

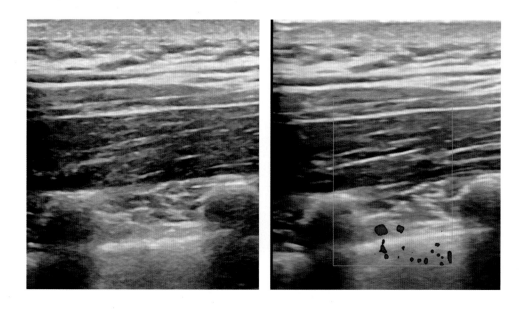

04 요추 시술(Lumbar interventions)

1. 요추의 초음파 영상

1) 요추의 정상 초음파

(1) 후방 종축 영상(posterior longitudinal)

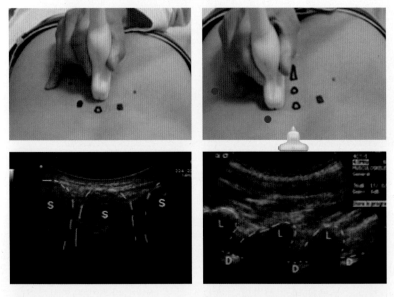

Fig 12. 요추 후면의 중심에 종단면으로 원형 탐촉자(round probe)를 위치시키면, 척추극돌기(spinous process, S) 를 확인할 수 있다. 이 상태에서 1 cm 외측으로 탐촉자를 움직이면, 요추 후궁(lamina)을 관찰할 수 있다. 후궁과 후궁 사이에 경막 외 공간이 보인다.
S : spinous process
L : lamina
D : epidural space

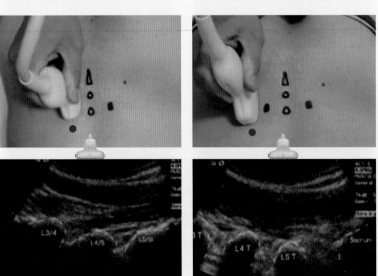

Fig 13. 0.5 cm 외측으로 이동하면 후관절(facet joint)을 확인할 수 있고, 더 이동하면 횡돌기(transverse process)를 확인할 수 있다.
L3/4 : L3/4 facet joint
L3 T : L3 transverse process

(2) 후방 횡축 영상(Posterior transverse)

 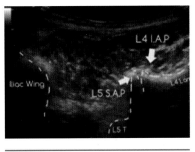 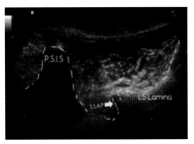

Fig 14. L4/5 facet joint – iliac wing level
L5/S1 facet joint – under the P, S, I, S.

Fig 15. I.A.P: inferior articular process
S.A.P: superior articular proess
L5 T: L5 transverse process

Fig 16. P.S.I.S: posterosuperior Iliac pine
S.S.A.P: sacral Sup. articular process

 KEY POINT

요추 횡단 영상에서는 후관절과 장골익 사이의 위치관계로 그 위치를 확인할 수 있다. 대개, 장골익과 후관절의 깊이가 비슷하다면 4/5번으로 추측할 수 있으며, 후관절 보다도 장골익이 높다면 5/천추1번 후관절로 확인할 수 있다. 천골화 요추나, 나이가 든 여자환자의 경우 장골익의 위치가 후관절의 예측부위와 다를 수 있어, 단순 방사선 사진을 확인한 후 예측해야 한다.

2) 요추 후관절 주사요법

척추후관절에 의한 통증이 요통의 약 15~40%에 이르며, 대개 편측 통증을 호소하고, 엉치나, 허벅지 옆까지 연관통으로 나타나며 무릎 밑까지 진행하는 경우는 거의 없다. 신전 시 통증이 악화되고, 굴곡 시 감소하는 경향을 지닌다. 근력이나 감각의 이상은 동반하지 않는 것이 특징이다. 신경근 후지(root dorsal ramus)에 의해 지배되는데, 대개 해당관절의 상부 신경근에서 분지하는 내측지 신경(예: L4/5 후관절의 경우 L3 신경근의 후지에서 분지)과 해당관절에서 분지하는 신경근의 내측지 신경(예: L4/5 후관절에서 나오는 L4 신경근의 후지에서 분지)에 의해 이중으로 지배된다.

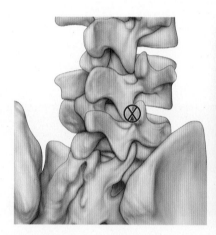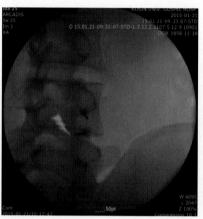

진단적 목적으로 2% 리도케인(lidocaine) 1~2cc를 관절 내 주사하고 증상에 호전이 있을 때, 요추 후관절 동통을 진단할 수 있다. 진단 후 장기간 호전(long-term control)을 위해 덱사메타손(dexametasone) 과 리도케인(lidocaine) 을 1:4로 mix 하여 주사할 수 있다. 리도케인(lidocaine) 대신에 로피바케인(ropiva-caine) 을 이용할 수 있다.

(1) 초음파 유도하 주사요법(clinical practice of US-guided injection)

요추 횡단면 상에서 극돌기와 후관절을 확인할 수 있으며, 후관절면을 목표로, 임상사진과 같이, In plane 방법을 이용하여 바늘을 확인하면서 관절 내 진입할 수 있다. 요추 5/천추1번은 장골익에 의해 방해가 될 수 있기에 관절면을 중심으로 시계 방향으로 탐촉자를 부분 회전하여 장골익을 피하며 관절 내 주사를 시행할 수 있다.

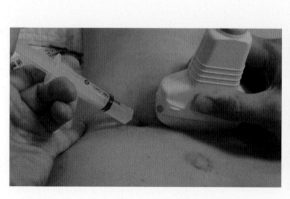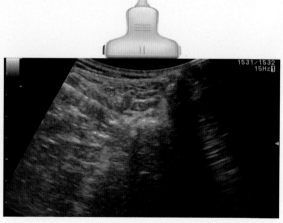

3) 요추 내측 분지 차단술(lumbar medial branch block)

(1) 서론

후관절 내 바늘을 삽입하는 것은 관절낭 및 관절에 손상을 줄 수 있으며, 국소마취제와 스테로이드의 관절 내 주입 또한 관절연골에 손상의 가능성이 있다. 이런 위험이 걱정된다면 신경근 후지의 내측지 차단술을 이용할 수 있다. 하나의 관절을 목표로 차단술을 하려면 두 개의 내측지 차단술을 시행해야 한다.

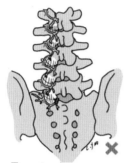

Target point:
medial branch

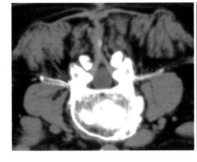

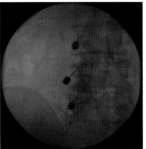

(2) 초음파 유도하 주사요법의 실제

관절 내 주사 방법과 같이 목표 관절을 확인한 후, 해당 관절의 상방으로 탐촉자(probe)를 평행하게 이동하여 횡돌기를 확인하고, 횡돌기 상부와 후관절(목표관절의 상부관절: L4/5를 목표로 한다면 L3/4 후관절)사이 공간을 목표로 바늘(needle)을 In-plane 방법으로 진행한다. 마찬가지로 해당 관절의 횡돌기 상부과 후관절의 사이를 목표로 바늘을 진행하고 뼈에 닿으면 국소마취제와 스테로이드를 합하여 주사한다.

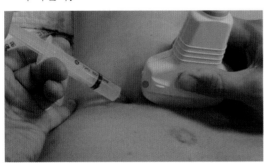

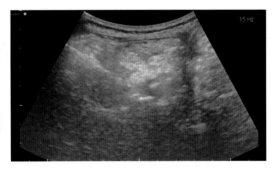

05 천추 시술(Sacral intervention)

1. 천추 1번 신경공 차단술(S1 foraminal block)

1) 시술

요추부 후면 종단영상(posterior longitudinal view)에서 후관절(facet joint)를 확인하면, 요추5/천추1번 관절 바로 아래쪽에 S1 신경공을 확인할 수 있다. 골격이 작은 사람이나, 나이든 여성의 경우 장골익으로 인해 S1 신경공을 찾을 수 없는 경우도 있다. 그럴 때에는 S2 신경공을 찾아 차단술을 시행한다. S1 신경공을 확인하면, 화면의 중심이 되도록 탐촉자를 다리쪽으로 움직인다. Out-of-plane 방법을 이용하여 신경공 입구에 바늘의 위치를 확인하고, 추가로 0.5 cm 진행한다. 주사 전 역류시켜 출혈이나 뇌척수액 유출여부를 확인하고, 0.5 cc를 사전 주사 후에 1~2분간 부작용이 없는 것을 확인하고, 나머지를 주사한다.

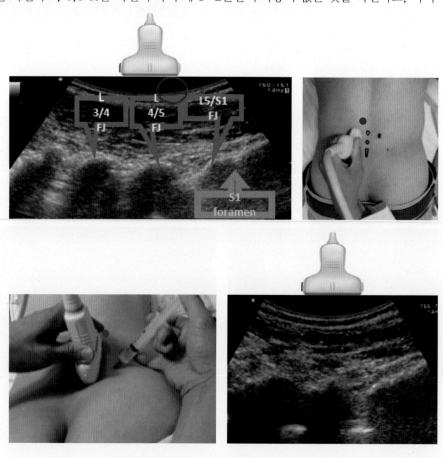

2. 미추 경막외 차단술(caudal epidural block)

1) 표면 해부학

요통 및 하지 방사통 조절을 위한 경막외 주사(epidural injection)는 매우 강력한 효과를 나타낸다. 많은 요통의 원인과 신경경로가 경막외 공간(epidural space) 내에 존재하기 때문이다.

비교적 안전하고 쉽게 경막외 주사(epidural injection)를 할 수 있는 곳이 천추공(sacral hiatus)을 통한 방법이다.

양측 후상방 장골극(posterior superior iliac spine)을 촉지하여 표지(marking)하고, 다음 두 점을 꼭지점으로 한 정삼각형을 그리면 나머지 꼭지점이 천추공이 위치한다. 양측으로 천추능(sacral cornue)이 만져지면 확인할 수 있다.

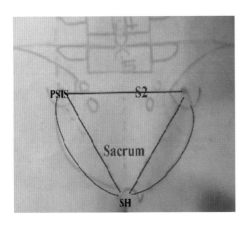
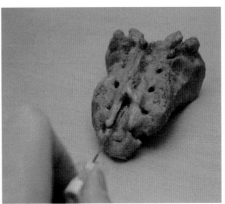

2) 초음파 영상 해부학

횡단면을 통해 양측 천골능(sacral cornue) 사이에 천추공(sacral hiatus)을 확인한다. 천미골 인대(sacro-coccygeal ligament)와 경막외 공간(epidural space)을 볼 수 있다.

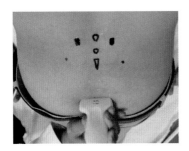
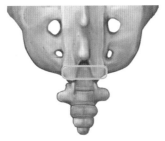
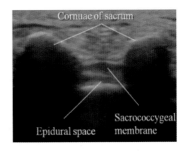

3) 초음파 영상 해부학

천추공을 중심으로 탐촉자를 회전하여 종단영상을 확인하면, 천골천정(sacral roof)과 천미골 인대, 경막외 공간을 확인할 수 있다.

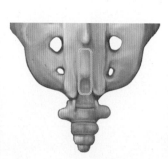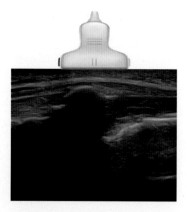

4) 시술

In-plane 방법으로 바늘을 진행하여 바늘 끝이 천미골 인대(sacrococcygeal ligament)를 뚫었는지 확인 한다.

천골천정(roof)하방으로 약 0.5 cm 정도 진행한 후 주사를 시행한다.

역흡입하여 출혈이나 뇌척수액 유출여부를 확인하고, 0.5 cc를 미리 주사 후에 1~2분간 부작용이 없는 것을 확인하고, 나머지를 주사한다.

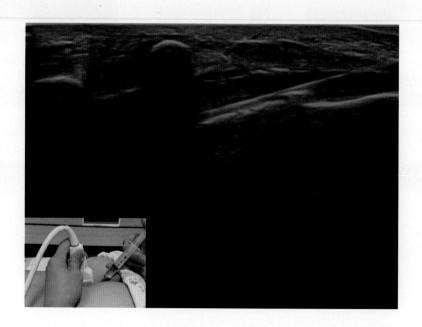

PART

7

고관절

Hip

P A R T

7 / 고관절 Hip

■■ 민경대, 김필성, 김동휘, 윤형문

고관절의 초음파 검사는 관절내 구조물이 깊어 표면 해부학을 기초로 하므로 구획별로 검사 자세와 함께 전방, 내측, 외측, 후방 해부학적 사진을 병행 배치하여 초음파 영상을 이해하고 익힐수 있도록 하였고, 초음파 유도하 신경차단술 시 표면 해부학적 기준점과 초음파 영상을 통해 각 신경의 주변 구조물들을 표시하고 구체적 방법을 소개함으로 실제 시술시 도움이 되도록 구성하였습니다.

01 고관절의 표면 해부학과 구획(Surface anatomy and compartments of hip)

1. 표면 해부학

1) 전상방 장골극(anterior superior iliac spine, ASIS)

2) 대퇴 혈관 및 신경

3) 치골 결합(symphysis pubis)

4) 대퇴골 대전자부(greater trochanter of femur)

5) 좌골 결절(ischial tuberosity)

2. 표면 해부학에 따른 구획 분류

1) 전방   2) 내측   3) 외측   4) 후방

Fig 01. ASIS, anterior superior iliac spine; GT, greater trochanter; IT, ischial tuberosity; SP, symphysis pubis.

02 고관절 전방(Anterior hip)

1. 고관절 관절내 구조물
(Intra-articular components of hip joint)

1) 대퇴골 두(femoral head)

2) 비구(acetabulum)

3) 비구순(acetabular labrum)

4) 관절 연골(cartilage)

5) 고관절 주위 근육

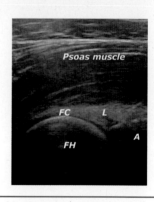

Fig 02. Hip joint (long-axis view). A, acetabulum; FC, femoral cartilage; FH, femoral head; L, labrum.

2. 고관절 전방의 검사 자세

1) 앙와위(supine position)에서 시행한다.

2) 고관절, 슬관절과 족관절도 모두 중립위로 위치시킨다.

3) 환자에게 속옷을 당기도록 협조를 요청하며 환자의 프라이버시를 침해하지 않도록 주의한다.

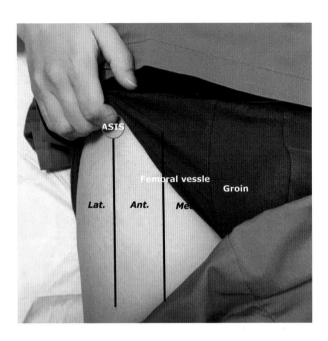

3. 고관절 전방의 장축 영상(long-axis of anterior hip)

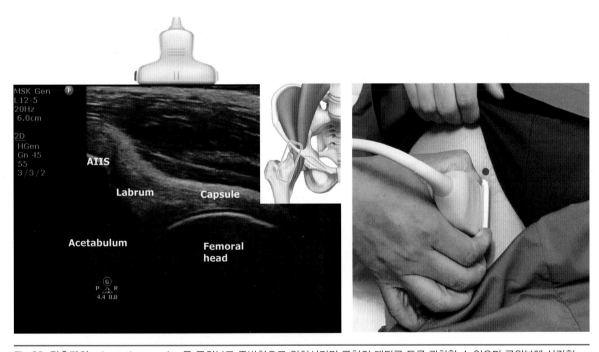

Fig 03. 탐촉자의 orientation marker를 근위부로 종방향으로 위치시키면 구형의 대퇴골 두를 관찰할 수 있으며 근위부에 삼각형 모양의 비구순을 관찰할 수 있다. 탐촉자의 방향을 조절하여 비구순의 형태가 가장 잘 보이도록 조정한다.
AIIS, anterior inferior iliac spine.

4. 고관절 전방의 단축 영상(short-axis of anterior hip)

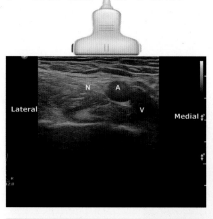
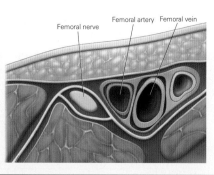
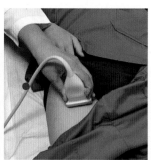

Fig 04. 탐촉자를 단축으로 하였을 때 외측부터 좌골신경, 좌골동맥, 좌골정맥 순으로 위치한다.
좌골정맥은 탐촉자를 세게 누를 경우 압박되어 소실될 수 있으므로 탐촉자의 압박 정도를 조절하여 영상을 구현한다.

5. 고관절 전방 초음파의 관절내 병변(intra-articular pathologies of anterior hip)

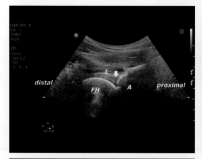
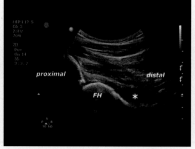
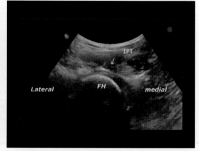

Fig 05. Acetabular labral tear in long-axis: Note the cleft between labrum and acetabulum. A, acetabulum; FH, femoral head; L, labrum.

Fig 06. Hip effusion: inflation of synovial recess in long-axis scan (asterisk). FH, femoral head.

Fig 07. Internal snapping hip in short-axis. IPT, iliopsoas tendon; FH, femoral head.

6. 외측대퇴피부신경(lateral femoral cutaneous nerve)

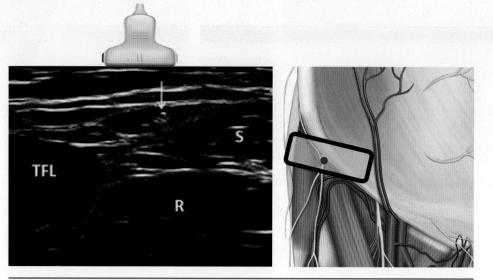

Fig 08. 탐촉자를 전상방 장골극(anterior superior iliac spine)의 내측 하방을 따라 이동시키면 대퇴근막긴장근(tensor fascia lata, TFL)과 봉공근(sartorius muscle, S) 사이로 주행하는 외측대퇴피부신경을 관찰할 수 있다. R, rectus femoris muscle.

03 고관절 내측(Medial hip)

1. 구조물

    1) 치골근(pectineus muscle)

    2) 장내전근(adductor longus muscle)

    3) 단내전근(adductor brevis muscle)

    4) 대내전근(adductor magnus muscle)

    5) 박근(gracilis msucle)

    6) 폐쇄신경 및 혈관(obturator nerve and vessles)

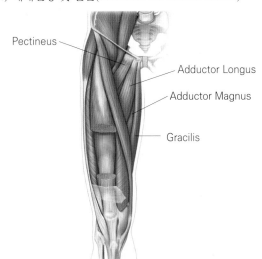
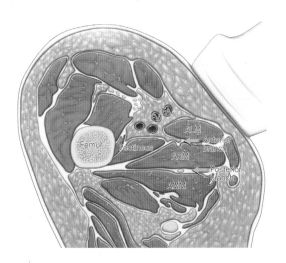

2. 고관절 내측 초음파 영상과 검사 자세

    1) 고관절 내측의 장축 영상(long-axis of medial hip)

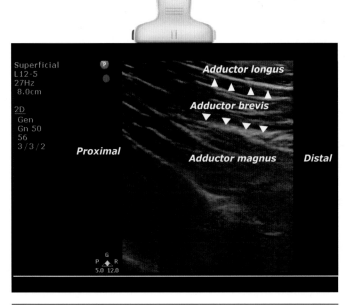

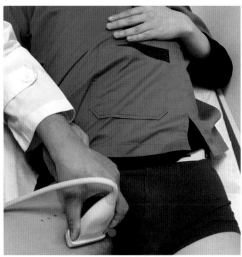

Fig 09. 고관절 내측의 장축 영상: 탐촉자의 orientation marker를 치골 결합으로 향하게 하고 내전근의 주행 방향에 따라 위치시키면 천층부터 장내전근, 단내전근, 대내전근이 3층으로 관찰된다.

Fig 10. 내측의 장축 검사 자세와 탐촉자의 위치: 환자에게 개구리 다리 자세(frog leg position)를 취하게 하고 탐촉자를 위치시킨다.

123

2) 고관절 내측의 단축 영상(short-axis of medial hip)

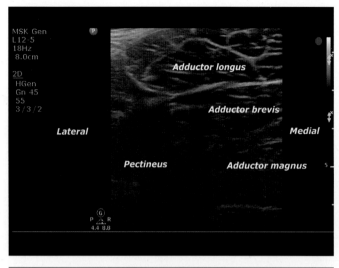

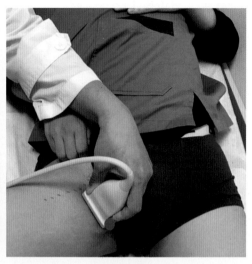

Fig 11. 고관절 내측의 단축 영상: 탐촉자의 orientation marker를 내측으로 하고 대퇴 내측으로 이동시키면 장측과 유사하게 내전근의 3층이 관찰된다.

Fig 12. 내측의 단축 검사 자세와 탐촉자의 위치

3. 고관절 내측의 폐쇄신경(obturator nerve of medial hip)

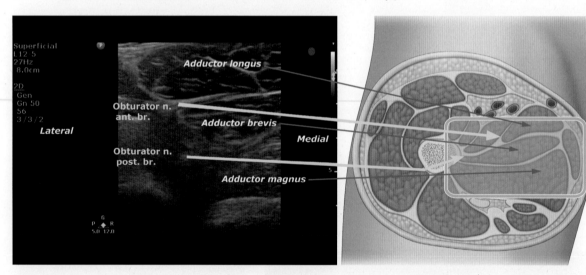

04 고관절 외측(Lateral hip)

1. 구조물

1) 대둔근(gluteus maximus muscle)

2) 중둔근(gluteus medius muscle)

3) 소둔근(gluteus minimus muscle)

4) 대퇴 근막 긴장근(tensor fascia lata)

5) 대전자 점액낭(trochanteric bursa)

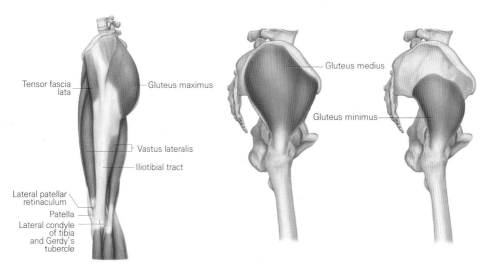

Tensor fascia lata
Gluteus maximus
Vastus lateralis
Iliotibial tract
Lateral patellar retinaculum
Patella
Lateral condyle of tibia and Gerdy's tubercle
Gluteus medius
Gluteus minimus

2. 검사 자세

1) 측와위(decubitus position)

(1) 고관절 30° 굴곡, 슬관절 30° 정도 굴곡하여 위치시킨다.

(2) 대전자부의 표면 해부학을 확인한다.

3. 정상 소견

1) 고관절 외측의 단축 영상(short-axis of lateral hip)

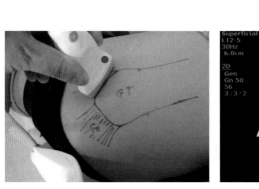 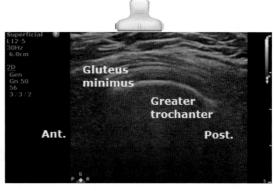

Fig 13. 소둔근(gluteus minimus muscle)의 탐촉자의 위치와 단축 영상: 소둔근은 대전자의 전방부에 부착하므로 대전자의 표면 해부학에서 전방부에 소둔근 주행 방향에 수직 방향을 탐촉자를 위치시킨다.

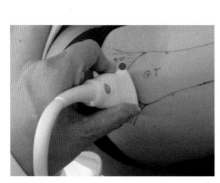 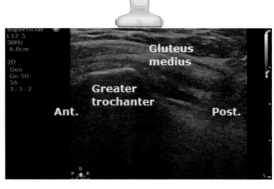

Fig 14. 중둔근(gluteus medius muscle) 탐촉자의 위치와 초음파 단축 영상 : 중둔근은 소둔근의 비교적 후방부에 위치하므로 소둔근 단축 스캔 위치보다 대전자 후방으로 이동시키면 관찰할 수 있으며 대전자 골의 융기부위의 뒤쪽에서의 움직임을 보인다.

2) 고관절 외측의 장축 영상(long-axis of lateral hip)

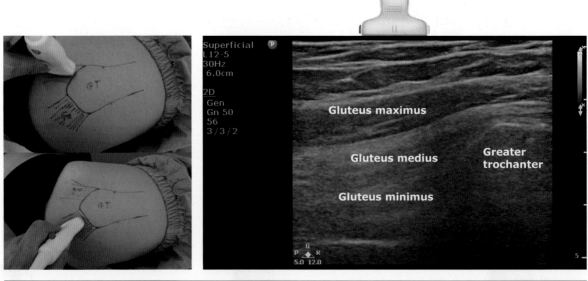

Fig 15. 중둔근과 소둔근의 주행 방향을 이해하고 탐촉자의 방향을 각 근육과 평행하게 위치시키면 관찰할 수 있다. 각 근육이 중첩되는 부위에서 좌측의 초음파 영상과 같이 3층의 근육층을 볼 수 있다.

4. 고관절 외측의 병변

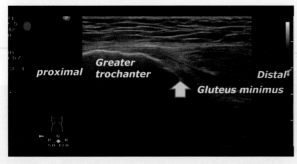

Fig 16. 장축 영상에서 소둔근의 부착부 파열 소견이 관찰된다.

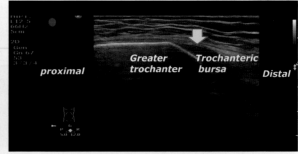

Fig 17. 대전자 점액낭염(trochanteric bursitis)

05 고관절 후방(Posterior part of hip)

1. 고관절 후방의 구조물

1) 좌골신경(sciatic nerve)

2) 대퇴골 전자(trochanter of femur)

3) 좌골 결절(ischial tuberosity)

4) 좌골 점액낭(ischial bursa)

5) 슬건(hamstring tendon)

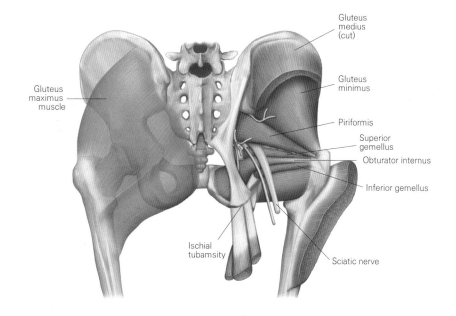

2. 고관절 후방의 단축 영상(short-axis of posterior hip)

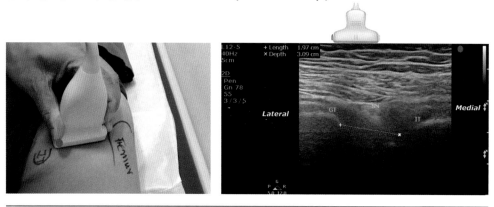

Fig 18. 좌골 신경이 좌골 결절과 대전자부 사이에 위치하게 되며 사이의 거리를 측정하며 건측에 비해 감소되거나 두 골 사이의 근육의 손상이 관찰되는 경우 좌골대퇴충돌(Ischiofemoral impingement)을 시사하는 소견이 될 수 있다.

3. 좌골 결절 주위의 단축 영상(short-axis around ischial tuberosity)

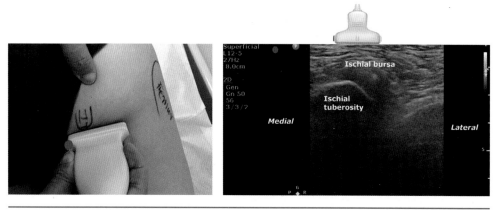

Fig 19. 좌골 결절 원위부에 탐촉자를 단축으로 위치시키면 좌골 결절의 천층에 비균질성 저음영의 윤활낭이 관찰되며 비후된 윤활낭이 관찰되는 경우 좌골 윤활낭염으로 진단한다.

4. 좌골 결절 주위의 장축 영상(long-axis around ischial tuberosity)

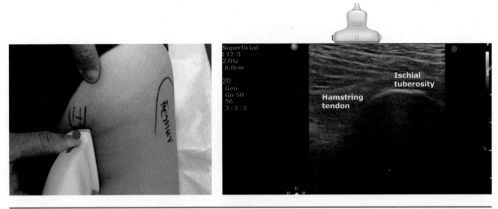

Fig 20. 좌골 결절(ischial tuberosity) 원위부에 탐촉자를 장축으로 위치시키면 슬건(hamstring tendon)의 기시부를 관찰할 수 있다.

06 초음파 유도하 신경차단술(Us-guided nerve block around hip and knee)

1. 외측대퇴피부신경차단술(lateral femoral cutaneous nerve block)

1) 환자의 자세와 표면 해부학

외측대퇴피부신경은 제2,3 요추신경에서 기시하여 대퇴삼각(trigonum femorale)을 통하여 대퇴부 외측으로 주행하며, 지배 영역은 대퇴부 외측이다. 검사 자세는 대퇴부의 중립 상태에서 검사한다.

탐촉자는 하지의 단축을 향하도록 해서 전상방 장골극에 위치시킨 후 원위부로 이동하면서 신경을 확인한다.

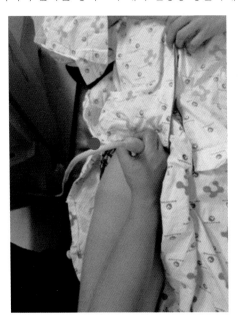
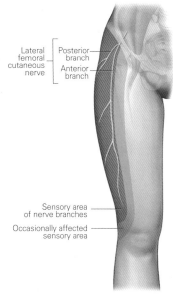

2) 정상 초음파 해부학

외측대퇴피부신경(화살표)은 근위부에서는 전상방 장골극 내측, 봉공근 외측에서 관찰되며, 원위부에서는 대퇴근막긴장근, 대퇴직근, 봉공근 사이에서 관찰된다.

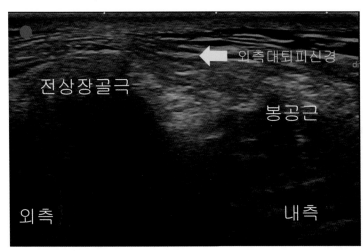
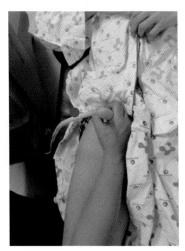

3) 초음파 유도하 신경차단술의 실제

주사바늘은 외측에서 내측으로 In-plane법으로 진행시키며 신경 주변으로 약 5~10 ml의 마취제를 주사한다. 초음파 영상에서 봉공근(sartorius), 대퇴직근(rectus femoris), 대퇴근막근(tensor fasia lata)이 관찰되며 그 사이에 외측대퇴피부신경(화살표) 및 바늘(△)이 관찰된다.

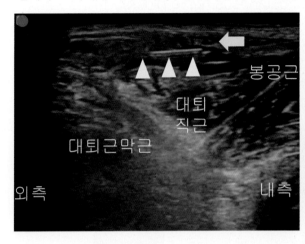

2. 대퇴신경차단술(femoral nerve block)

1) 검사 자세와 표면 해부학

대퇴신경은 제2,3,4 요추신경에서 기시하여 대퇴삼각(trigonum femorale)을 통하여 대퇴부로 주행한다. 지배 영역은 대퇴부 전측 및 내측 일부, 하퇴부 내측이다. 검사 자세는 대퇴부를 약간 10~15° 정도 외회전 시킨 상태에서 검사한다. 대퇴부 안쪽에서 손으로 대퇴동맥을 촉지한 뒤 그 위치에 탐촉자를 단축으로 위치 시키고 신경을 관찰한다.

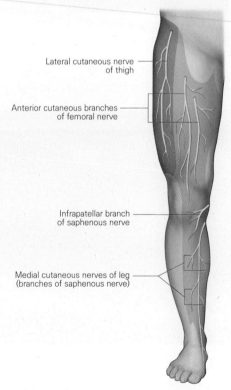

2) 정상 초음파 해부학

대퇴신경(화살표)은 대퇴 근위부에서 대퇴동맥을 촉지한 뒤 탐촉자를 대퇴부에 단축방향으로 위치시키면 대퇴동맥 외측에서도 관찰된다. 초음파 영상에서 내측에 대퇴동맥이 관찰되며 바로 외측으로 대퇴 신경을 확인할 수 있다.

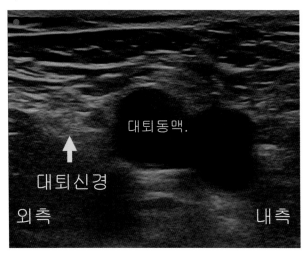
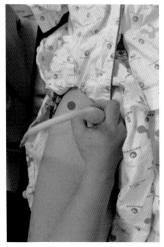

3) 초음파유도하 신경차단술의 실제

주사바늘을 외측에서 내측으로 In-plane법으로 동맥 손상을 주지 않도록 조심하게 진행시키면서 신경 주변으로 10~15 ml의 마취제를 주사한다. 초음파 영상에서 내측에 대퇴동맥 관찰되며 바로 외측으로 마취약제로 둘러싸인 대퇴신경(화살표)과 바늘(△)을 확인할 수 있다.

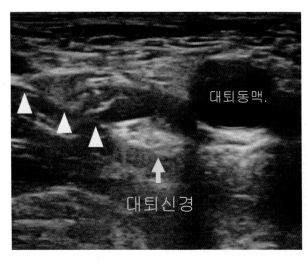
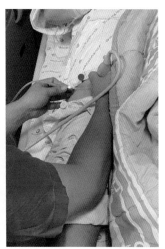

3. 폐쇄신경차단술(obturator nerve block)

1) 검사 자세와 표면 해부학

폐쇄신경은 제2,3,4 요추신경에서 기시하여 폐쇄구멍을 통해서 대퇴 원위부로 주행한다. 지배 영역은 서혜부와 대퇴부 안쪽이다. 검사 자세는 회외 자세에서 대퇴부를 10~15° 정도 외전, 외회전시킨 자세를 취하게 한다.

탐촉자는 하지에 단축으로 위치시키고 대퇴동맥을 확인한다. 이후 내측으로 탐촉자를 이동시키며 치골근과 내전근들 사이에서 폐쇄 신경을 확인한다.

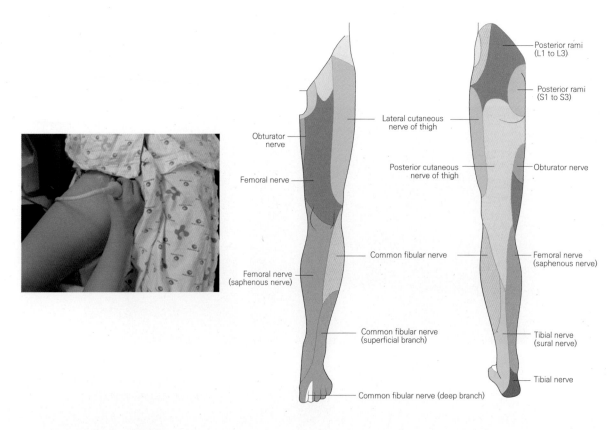

2) 정상 초음파 해부학

탐촉자를 단축 방향으로 향하고 대퇴동맥의 안쪽으로 이동시키면서 치골근(pectineus)을 확인하고 좀 더 안쪽으로 진행시켜 치골근과 대퇴내전근이 보이도록 한다. 장내전근과 단내전근 사이, 단내전근과 대내전근 사이에서 폐쇄신경(화살표)을 확인할 수 있다. 초음파 사진에서 외측의 치골근과 안쪽의 내전근들이 관찰되며 내전근들 사이에서 폐쇄신경(화살표)이 확인된다.

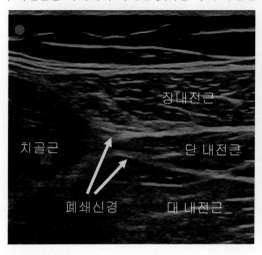

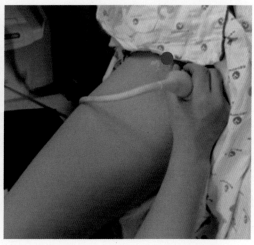

3) 초음파유도하 신경차단술의 실제

주사바늘은 외측에서 내측으로 In-plane법으로 진행시킨 후 신경 주변에 약 5~10 ml 정도 마취약제를 주
한다. 초음파 사진에서 외측의 치골근과 안쪽의 내전근들이 관찰되며 내전근들 사이에서 폐쇄신경(화살표)
과 바늘(△)을 확인할 수 있다.

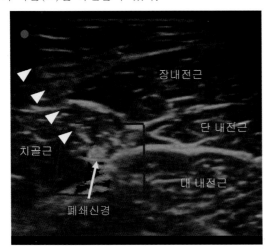
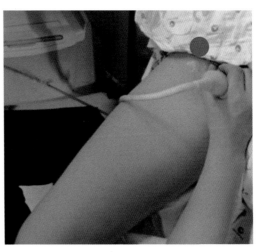

4. 좌골신경차단술(sciatic nerve block)

1) 환자의 검사 자세와 표면 해부학

좌골신경은 제4,5 요추 및 제1,2,3 천추신경에서 기시하여 대좌골공(greater sciatic foramen)을 통하여
대퇴 원위부로 주행한다. 지배 영역은 대퇴부 후면과 하퇴부 후면이다.

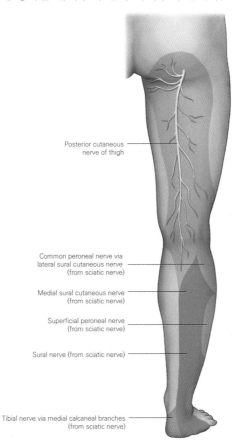

2) 초음파 유도하 신경차단술의 실제

초음파 유도하 좌골신경차단술은 측와위, 앙와위 두 자세에서 시행된다. 첫번째는 환자를 측와위로 위치시키고 탐촉자를 둔부의 후면에 하지에 단축으로 위치시킨다. 초음파에서 대둔근 아래에서 대전자와 치골극 사이에 있는 좌골 신경(화살표)을 확인할 수 있다.

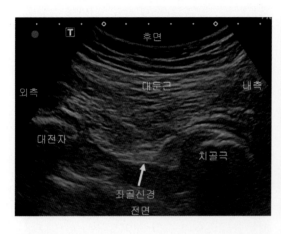
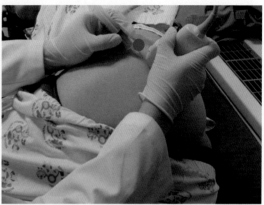

두 번째는 환자를 앙와위로 위치시키고 탐촉자를 대퇴부 후면 근위부에 위치시킨다. 초음파 영상에서 대둔근과 대내전근 사이에 있는 좌골신경(화살표)을 확인할 수 있다. 주사바늘을 외측에서 내측으로 In-plane 법으로 진행시키면서 좌골신경 주변에 약 10~15 ml의 마취약제를 주사한다. 초음파 영상에서 대둔근과 대내전근 사이에 마취약제에 둘러싸인 좌골신경(화살표) 및 바늘(△)을 확인할 수 있다.

주사바늘을 외측에서 내측으로 In-plane법으로 진행시키며 좌골신경 주변에 약 10~15 ml의 마취 약제를 주사한다. 초음파 사진에서 대둔근과 대내전근 사이에 마취약제에 둘러싸인 좌골신경(화살표)과 바늘(△)을 확인할 수 있다.

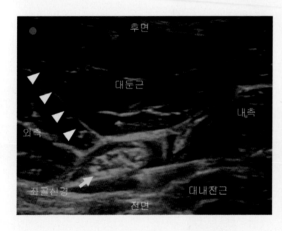

슬관절

Knee

PART

8 슬관절 Knee

■ ■ 민경대, 김필성, 김동휘, 윤형문

슬관절의 초음파 검사는 부위별 적절한 검사 자세 그리고 구획별로 볼 수 있는 구조물과 초음파 영상을 비교할 수 있도록 나란히 수록하였고 정상 초음파 소견과 병적 초음파 소견을 연결하여 초음파 검사를 통해 쉽게 진단할 수 있는 대표적 질환들의 영상을 익힐 수 있도록 구성하였습니다.

01 슬관절 전방(Anterior knee)

1. 검사자세

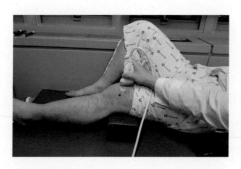

1) 앙와위(supine position)에서 슬관절은 20~30° 구부린 상태에서 검사를 시행한다.

2. 대퇴사두건과 슬관절(quadriceps tendon and knee joint)

1) 정상 소견

(1) 장축 영상(long-axis)

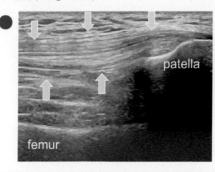
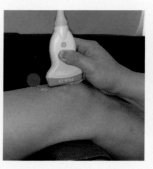

Fig 01. 대퇴사두건의 장축 영상을 볼 때 탐촉자 위치는 orientation marker가 근위부로 가게 한다. 탐촉자의 orientation marker 반대쪽을 슬개골에 위치시키고 orientation marker쪽을 근위부로 놓으면 초음파 사진에서 원위부에 슬개골과 근위부의 대퇴골, 그리고 슬개골에서 근위부로 이어지는 대퇴사두건(화살표)을 관찰할 수 있으며 슬개골과 대퇴골 사이에 지방층 슬관절내 공간을 확인할 수 있다.

(2) 단축 영상(short-axis)

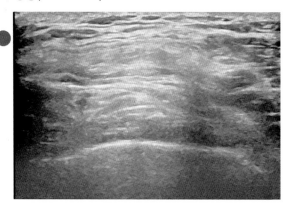

2) 병적 소견

(1) 관절내 삼출물

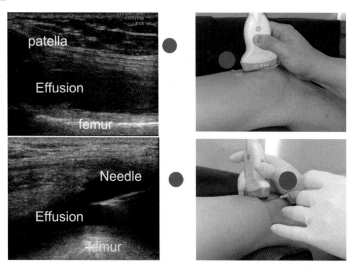

3. 슬개건(patellar tendon)

1) 정상 소견

(1) 장축 영상(long-axis)

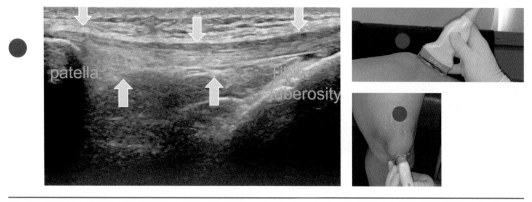

Fig 02. 슬개건의 장축 영상을 검사할 때 탐촉자의 위치는 orientation marker가 근위부로 가게 한다. 탐촉자의 orientation marker 쪽을 슬개골에 위치시키고 orientation marker 반대쪽을 경골의 근위부로 놓으면 초음파 영상에서 근위부에 슬개골과 원위부의 경골, 그리고 슬개골에서 경골 결절로 이어지는 슬개건(화살표)을 관찰할 수 있다.

(2) 단축 영상(short-axis)

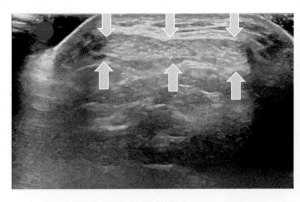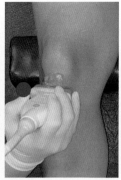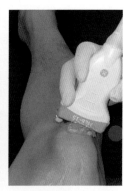

2) 병적 소견

(1) 건증(tendinopathy; 건염)

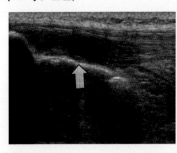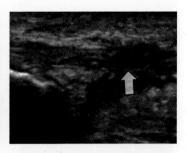

(2) 건 파열(tendon rupture)

(3) 슬개주위 윤활낭염(peripatellar bursitis)

4. 대퇴-슬개 관절(patello-femoral joint)

1) 정상 소견

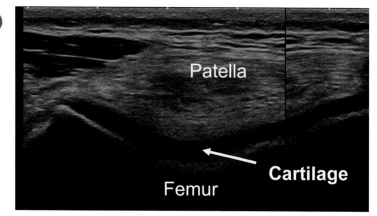 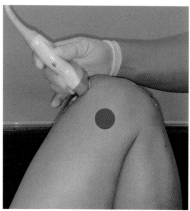

Fig 03. 대퇴슬개 관절 단축 영상(short-axis)을 볼 때 탐촉자의 위치는 orientation marker가 외측으로 가게 한다. 슬관절을 완전히 구부린 다음 탐촉자의 orientation marker 쪽을 슬개골 근위부에 외측에 위치시키면 초음파 영상에서 위쪽의 슬개골과 아래쪽의 대퇴골을 확인할 수 있으며 대퇴골과 슬개골 사이에 대퇴슬개 관절연골을 확인할 수 있다.

2) 병적 소견

(1) 대퇴-슬개 관절염(patellofemoral arthritis)

대퇴슬개관절 관절염 사진으로 슬개골과 대퇴골 사이의 연골이 얇아진 것을 확인할 수 있다.

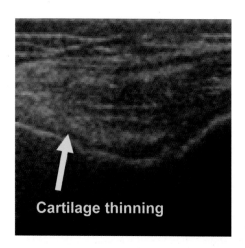

5. 거위발 건(pes anserinus)

1) 정상 소견

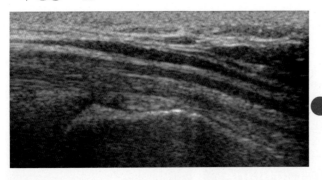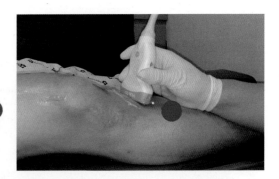

---

02 슬관절 내측(Medial knee)

1. 검사자세

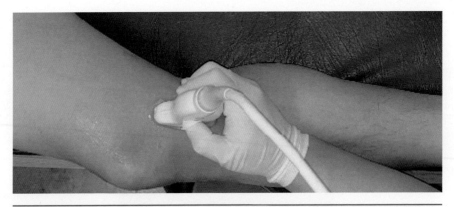

Fig 04. 슬관절 내측 초음파 검사 시 자세는 전면부와 동일한 자세를 취하고 탐촉자를 슬관절의 내측에 대고 검사를 시행한다.

2. 내측측부인대(medial collateral ligament)

1) 정상 소견

(1) 장축 영상(long-axis)

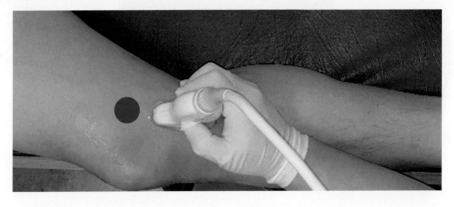

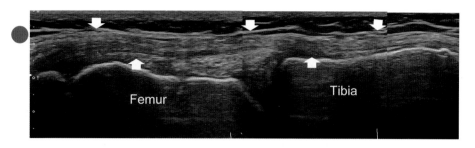

Fig 05. 무릎 내측측부인대의 장축 영상(long-axis)을 검사할 때 탐촉자의 위치는 orientation marker가 근위부로 가게 한다. 탐촉자의 orientation marker 쪽을 대퇴골의 내상과에 위치시키고 orientation marker 반대쪽을 경골의 앞 1/3지점을 향하도록 하면 초음파 영상에서 왼쪽의 대퇴골과 오른쪽의 경골을 확인할 수 있으며 대퇴골과 경골 위쪽으로 지나가는 내측측부인대(화살표)를 확인할 수 있다.

2) 병적 소견

(1) 내측측부인대 파열

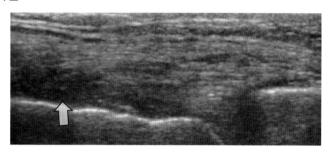

3. 내측 반월상연골(medial meniscus)

1) 정상 소견

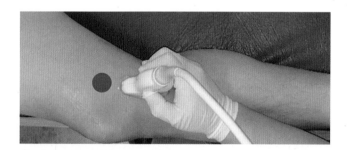

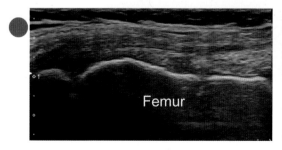

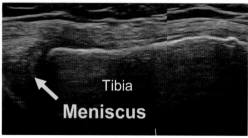

2) 병적 소견

(1) 반월상연골 낭종(meniscal cyst)

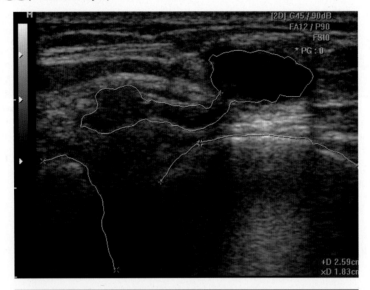

Fig 06. 내측 반월상 연골의 변연부로 낭종이 확인되며, 반월상연 파열 부위로 이어지는 연결 부위를 확인할 수 있다.

03 슬관절 외측(Lateral knee)

1. 검사자세

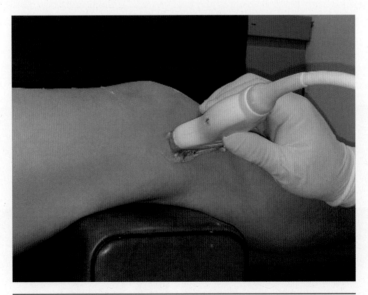

Fig 07. 슬관절 내측 초음파 검사 시 자세는 전면부와 동일한 자세를 취하고 탐촉자를 슬관절의 외측에 대고 검사를 시행한다.

2. 장경대(iliotibial band)

1) 정상 소견

(1) 장축 영상(long-axis)

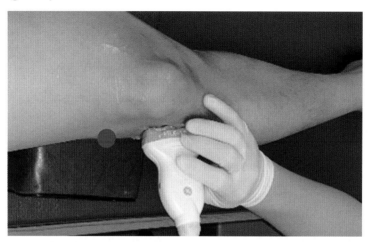

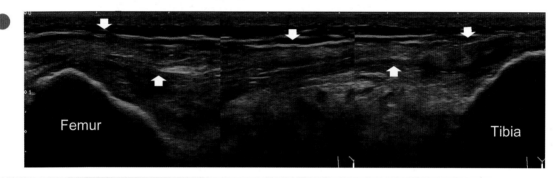

Fig 08. 장경대를 볼 때 탐촉자의 위치는 orientation marker가 근위부로 가게 한다. 탐촉자의 orientation marker 쪽을 대퇴골 외상과에 위치시키고 반대쪽을 경골의 Gerdy's tubercle(저디)결절을 향하게 하면 초음파 영상에서 대퇴골 위쪽에서 경골쪽으로 주행하는 장경대(화살표)를 확인할 수 있다.

(2) 단축 영상(short-axis)

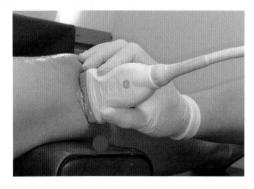 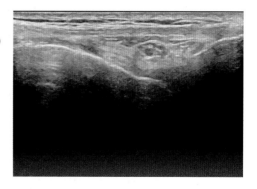

3. 외측측부인대(lateral collateral ligament)

1) 정상 소견

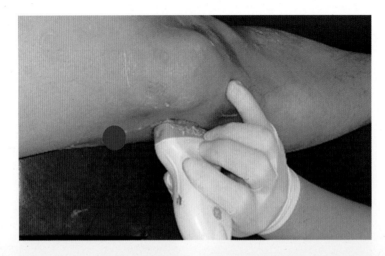

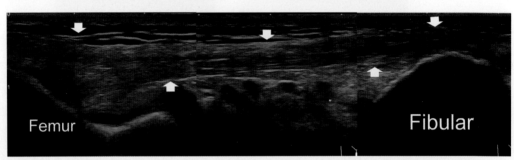

Fig 10. 무릎 외측측부인대를 검사할 때 탐촉자의 위치는 orientation marker가 근위부로 가게 한다. 탐촉자의 orientation marker 쪽을 대퇴골 외상과에 위치시키고 반대쪽을 비골 두를 향하게 하면 초음파 영상에서 대퇴골 위쪽에서 비골쪽으로 주행하는 외측측부인대(화살표)를 확인할 수 있다.

2) 병적 소견

(1) 견열 골절(avulsion fracture)

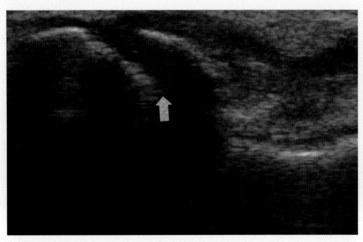

Fig 11. 외측 측부인대의 비골두 견열 골절이 확인된다.

04 슬관절 후방(Posterior knee)

1. 검사자세

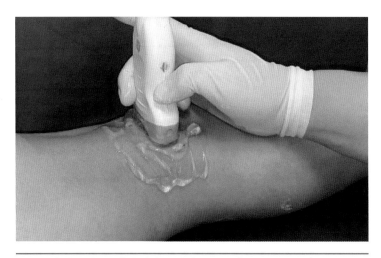

Fig 12. 슬관절 뒤쪽 초음파 검사 시 자세는 복와위(prone position)를 취하며 슬관절은 신전 상태를 유지한다.

2. 경골신경 및 경골동맥(tibial nerve and artery)

1) 정상 소견

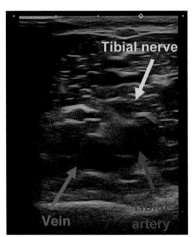 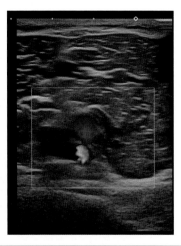 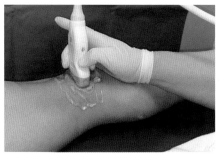

Fig 13. 경골동맥과 신경의 검사에서 탐촉자의 위치는 orientation marker가 외측으로 가게 한다. 탐촉자를 오금의 중앙에 위치시키고 orientation marker를 외측으로 향하게 하면 초음파 영상에서 박동하는 경골동맥(tibial artery, 빨간색 화살표)과 그 주변에서 경골신경(tibial nerve, 노란색 화살표)를 확인할 수 있다. 컬러 도플러 모드(color doppler mode)를 확인하면 혈관을 더 쉽게 확인할 수 있다.

2) 병적 소견

(1) Baker 낭종(Baker's cyst)

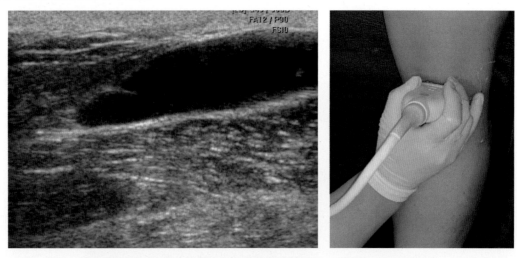

Fig 14. Baker 낭종의 병변이 있는 경우 병변 위쪽에서 탐촉자를 위치시키면 저음영의 낭종을 확인할 수 있다.

(2) 비골신경의 신경초종(schwannoma in peroneal nerve)

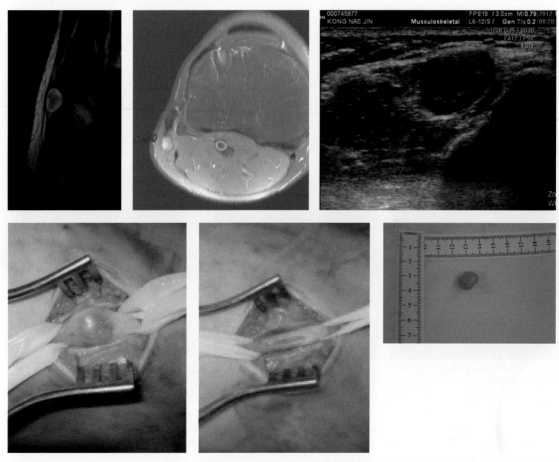

Fig 15. 수술장에서 확인되며, 비골신경막을 절개하자 신경 실질과 구별되는 종물이 확인된다.

PART

9

족관절–족부
Ankle and Foot

9 족관절-족부 Ankle and Foot

P A R T

■■ 안재훈, 박영욱, 이기수, 제갈혁

족부와 족관절은 내부 구조물들이 피부에 가까워 초음파 검사가 많은 도움이 됩니다. 검사 순서는 족관절의 전방, 후방, 내측, 외측 및 아래 하지, 발뒤꿈치, 발바닥 전방 그리고 발등 순으로 기술하였으며 마지막에는 초음파 유도하 시술을 다양하게 넣어서 실제 진료 시 도움이 되도록 하였습니다.

I. 족관절

01 족관절 전방(Anterior ankle)

1. 정상 소견

1) 단축 영상(short-axis)

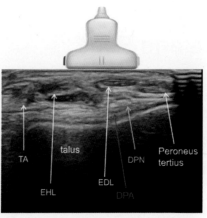

Fig 01. DPN, deep peroneal nerve; DPA, dorsalis pedis artery; EDL, extensor digitorum longus; EHL, extensor hallucis longus; TA, tibialis anterior tendon.

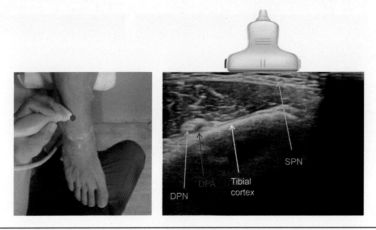

Fig 02. DPN, deep peroneal nerve ; DPA, dorsalis pedis artery ; SPN, superficial peroneal nerve.

2) 장축 영상(long-axis)

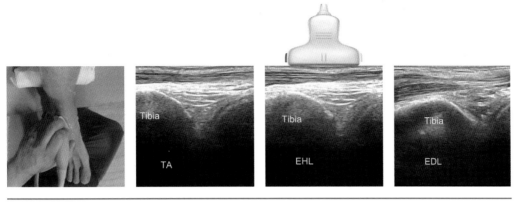

Fig 03. EDL, extensor digitorum longus; EHL, extensor hallucis longus; TA, tibialis anterior tendon.

내측에서 외측으로 이동하며 각각 전경골건(TA), 장무지신건(EHL), 장족지신건(EDL)을 확인할 수 있다.

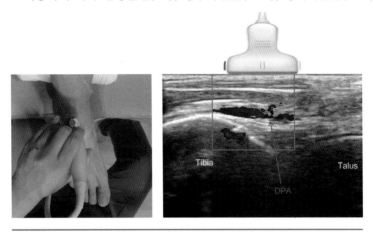

Fig 04. DPA, dorsalis pedis artery.

2. 병적 소견

1) 신경포착증후군(nerve entrapment): 심비골신경 자극증상(DPN irritation)

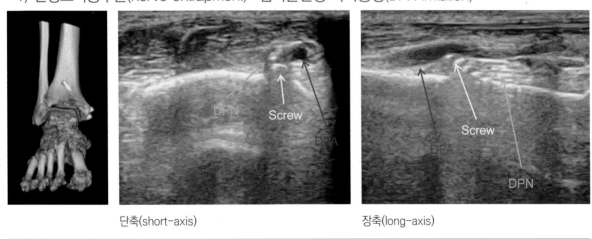

단축(short-axis)　　　　장축(long-axis)

Fig 05. DPN, deep peroneal nerve; DPA, dorsalis pedis artery.

2) 종양(tumor): 신경초종, 천비골신경(schwannoma, SPN)

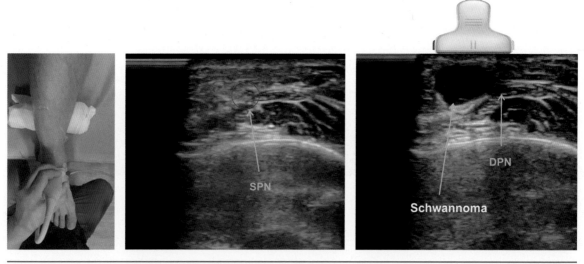

Fig 06. DPN, deep peroneal nerve; SPN, superficial peroneal nerve.

3) 건파열(tendon rupture)

(1) 급성 장무지신전건 파열(acute extensor hallucis longus tear)

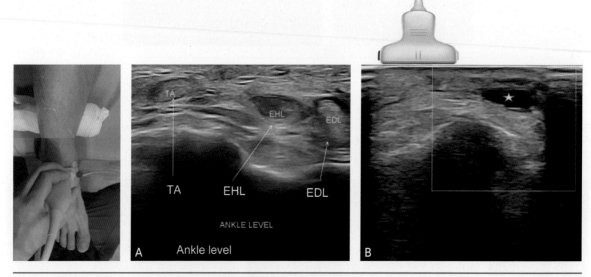

Fig 07. A. 발목의 단축(short-axis) 영상에서 저음영의 장무지신전건이 관찰된다.
　　　B. 발등의 단축(short-axis) 영상에서 hypoechotexture (★)로 장무지신전건이 관찰되지 않는다.
　　　EDL, extensor digitorum longus ; EHL, extensor hallucis longus ; TA, tibialis anterior tendon.

(2) 전경골건 부분파열(tibialis anterior tendon partial tear)

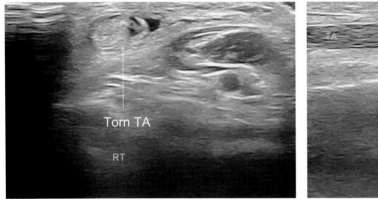 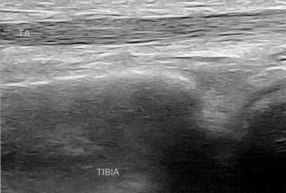

단축(short-axis)   장축(long-axis)

Fig 08. TA, tibialis anterior tendon.

(3) 전경골건 만성파열(chronic tibialis anterior tendon complete tear)

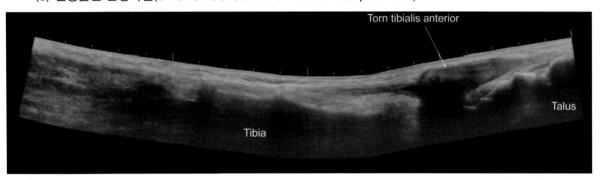

장축(long-axis)

Fig 09. TA, tibialis anterior tendon.

4) 전방충돌증후군(anterior ankle impingement syndrome)

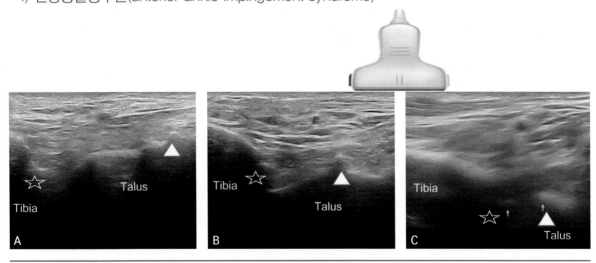

Fig 10. 족배굴곡(dorsiflexion)을 시행(그림 A에서 C 방향)하면서 촬영한 장축(long-axis) 영상에서 경골 골극(☆)과 거골 골극(△)의 충돌을 확인할 수 있다.

02 족관절 후방(Posterior ankle)

1. 정상 소견

1) 단축 영상(short-axis)

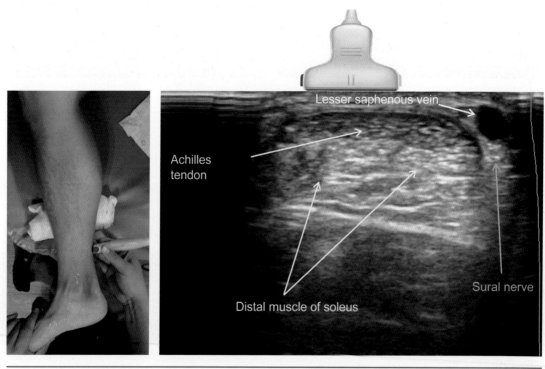

Fig 11. 정상 아킬레스건의 단축 영상

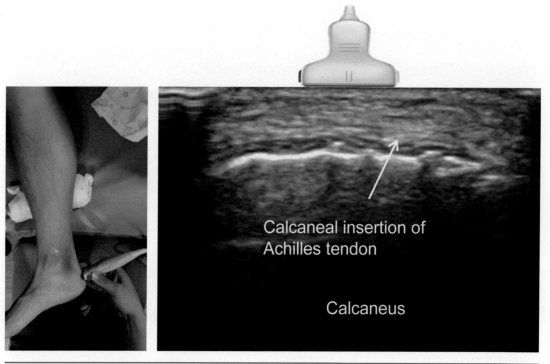

Fig 12. 정상 아킬레스건 부착부의 단축 영상

2) 장축 영상(long-axis)

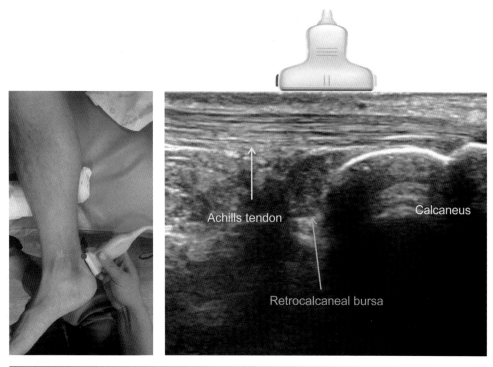

Fig 13. 정상 아킬레스건 부착부의 장축 영상

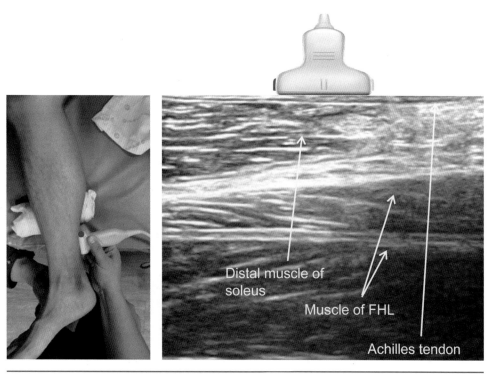

Fig 14. 정상 아킬레스건의 장축 영상

2. 병적 소견

1) 아킬레스건 파열(Achilles tendon rupture)

(1) 급성 아킬레스건 파열(acute Achilles tendon rupture)

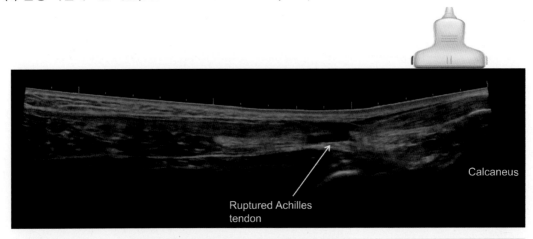

Fig 15.

(2) 아킬레스건 재파열(Achilles tendon rerupture)

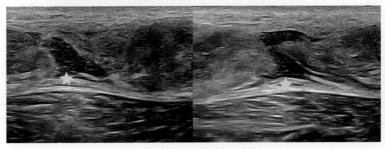

Fig 16. 아킬레스 건초(paratenon) 내에 혈종(★)이 관찰된다.

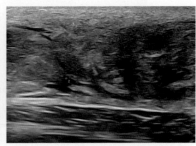

Fig 17. 장축 영상에서 족관절의 족저굴곡 시 파열된 아킬레스 건의 결손정도를 확인할 수 있다.

2) 아킬레스건병증(Achilles tendinosis)

(1) 아킬레스건 부착부 건병증(insertional Achilles tendinosis)

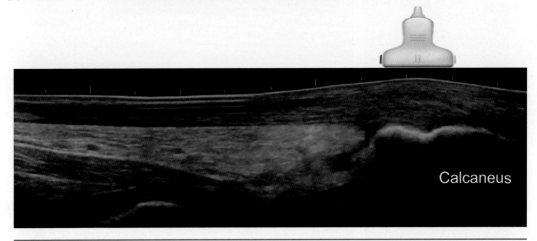

Fig 18.

(2) 아킬레스건 비부착부 건병증(noninsertional achilles tendinosis)

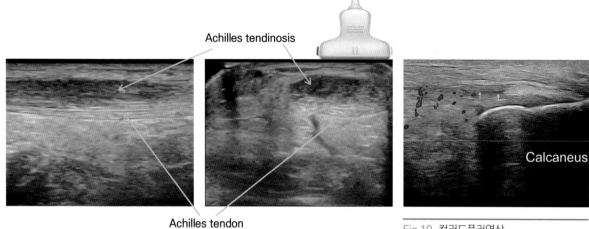

Achilles tendinosis

Achilles tendon

Calcaneus

Fig 19. 컬러도플러영상

아킬레스전방에서 충혈(hyperemia) 소견이 관찰되는 경우도 있다.

3) 피하 종골점액낭염(subcutaneous calcaneal bursitis)

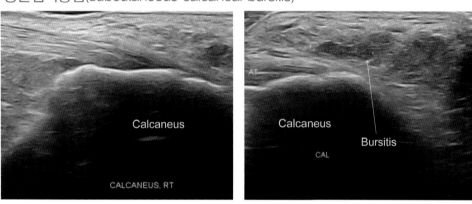

Calcaneus

CALCANEUS, RT

AT

Calcaneus

CAL

Bursitis

Fig 20.

4) 후종골 점액낭염(retrocalcaneal bursitis)

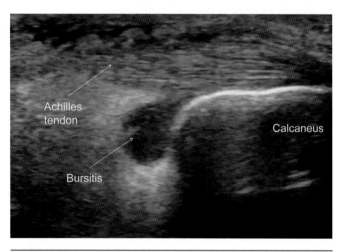

Achilles tendon

Bursitis

Calcaneus

Fig 21.

5) 석회화 건염(calcific tendinopathy)

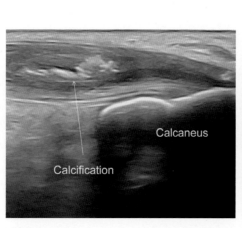
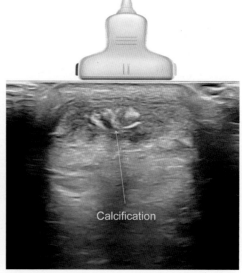

장축(long-axis)   단축(short-axis)

Fig 22.

---

03 족관절 내측(Medial ankle)

1. 정상 소견

1) 단축 영상(short-axis)

Fig 23.

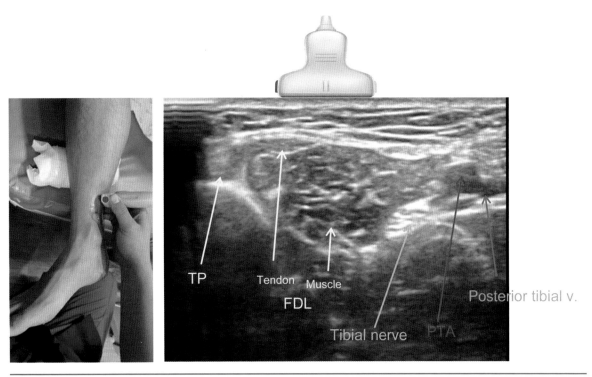

Fig 24. TP, tibialis posterior tendon; FDL, flexor digitorum longus; PTA, posterior tibial artery.

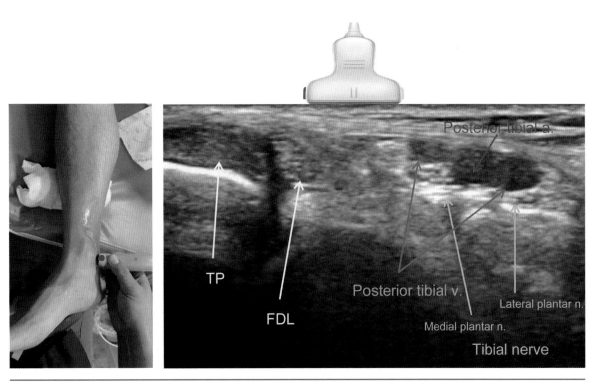

Fig 25. TP, tibialis posterior tendon; FDL, flexor digitorum longus.

2) 장축 영상(long-axis)

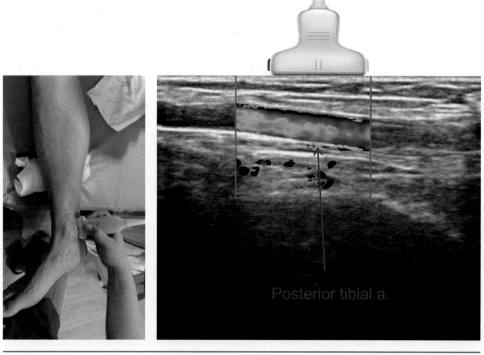

Posterior tibial a.

Fig 26.

2. 병적 소견

1) 족근관 증후군(tarsal tunnel syndrome)

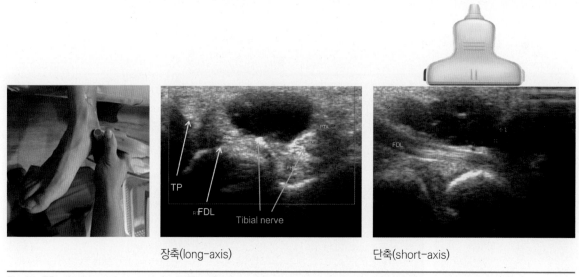

장축(long-axis)   단축(short-axis)

Fig 27. TP, tibialis posterior tendon ; FDL, flexor digitorum longus.

2) 후경골 건초염(tibialis posterior tenosynovitis)

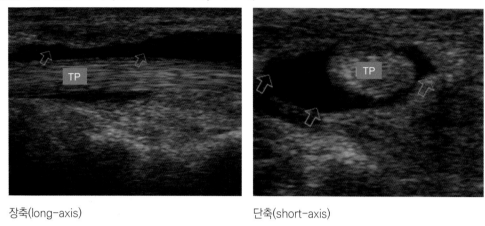

장축(long-axis)   단축(short-axis)

Fig 28. TP, tibialis posterior tendon.

3) 후경골 건염(tibialis posterior tendinosis)

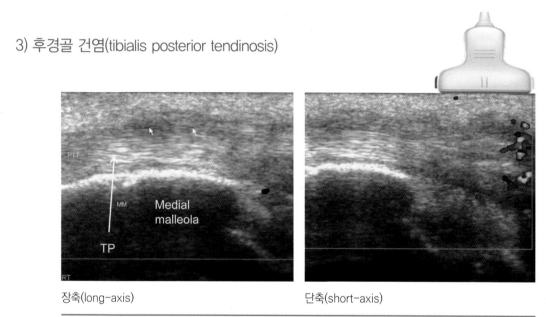

장축(long-axis)   단축(short-axis)

Fig 29. TP, tibialis posteior tendon.

4) 후경골건 손상(tibialis posterior tendon injury)

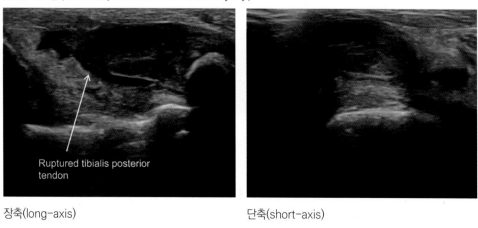

장축(long-axis)   단축(short-axis)

Fig 30. TP, tibialis posterior tendon.

5) 장무지굴곡건 건초염(flexor hallucis longus tenosynovitis)

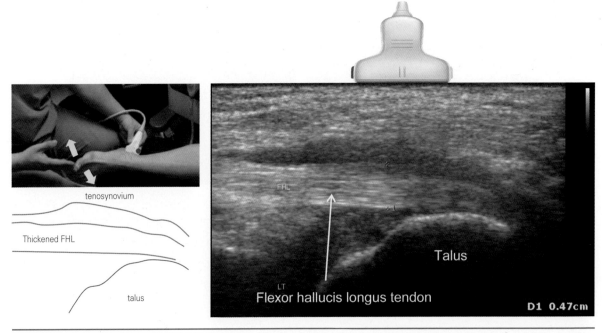

Fig 31. 장무지굴곡건주변으로 저음영의 부종이 관찰된다. 무지를 족저굴곡−족배신전하면서 관찰하면, 장무지굴곡건을 쉽게 찾을 수 있다.

6) 삼각인대 손상(deltoid ligament injury)

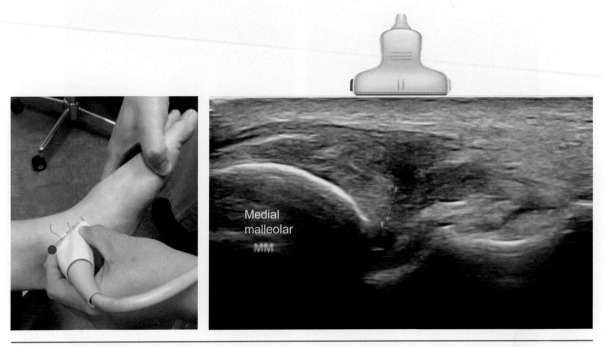

Fig 32.

7) 부주상골증후군(accessory navicular syndrome)

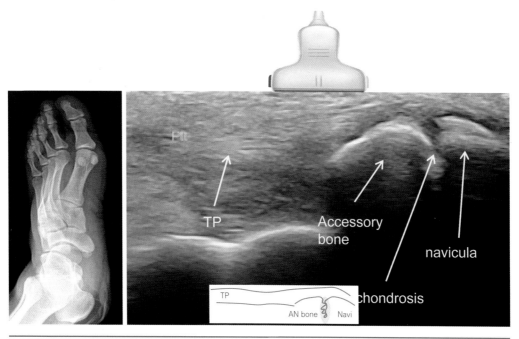

Fig 33. TP, tibialis posterior tendon.

04 족관절 외측(Lateral ankle)

1. 정상 소견

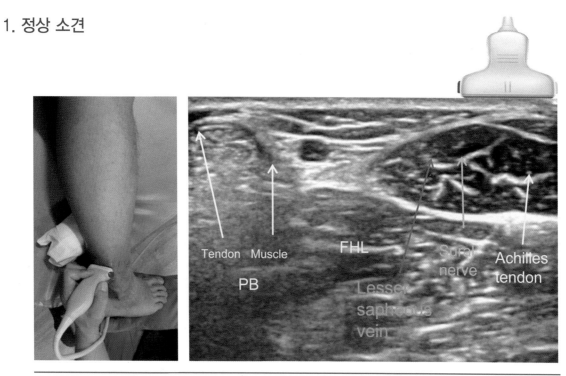

Fig 34. PB, peroneus brevis; FHL, flexor hallucis longus.

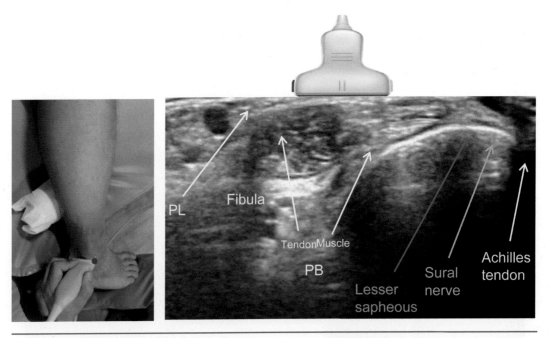

Fig 35. PL, peroneus longus; PB, peroneus brevis.

Fig 36. AITFL, anterior inferior tibiofibular ligament.

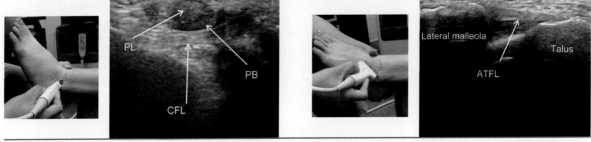

Fig 37. ATFL, anterior talofibular ligament; CFL, calcaneofibular ligament; PL, peroneus longus tendon; PB, peroneus brevis tendon.

2. 병적 소견

1) 비골건 탈구(peroneal tendon dislocation)

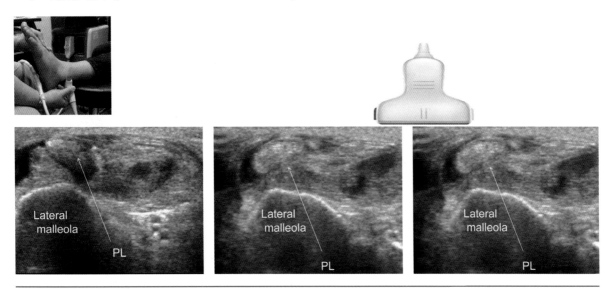

Fig 38. 족관절 외과 후방의 단축영상에서, 족관절을 족배굴곡, 외번 시 비골건이 외과 전방으로 탈구되는 것을 확인할 수 있다.

2) 건초내 비골건 아탈구(intrasheath peroneal tendon subluxation)

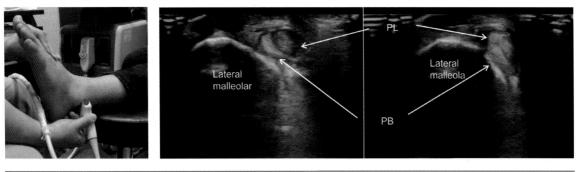

Fig 39. PL, peroneus longus tendon; PB, peroneus brevis tendon.

3) 급성인대손상(acute ligament injury)

(1) 전거비인대파열(ATFL tear, anterior talofibular ligament tear)

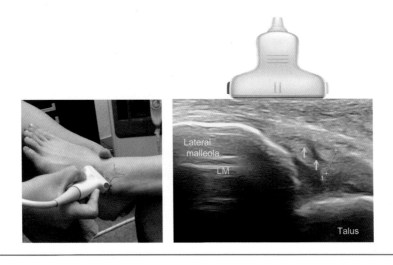

Fig 40.

(2) 전거비인대손상, 견열골절(ATFL injury, bony avulsion)

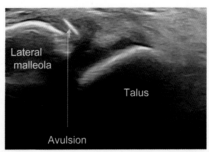
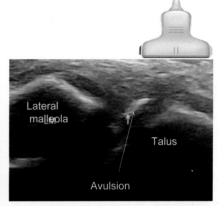

Fig 41.

(3) 전하경비인대파열(anterior inferior tibiofibular ligament tear)

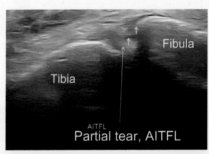
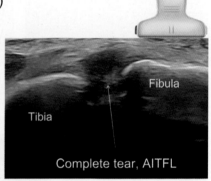

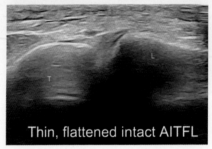

Fig 42. AITFL, anterior inferior tibiofibular ligament.

4) 족관절 만성불안정성(chronic ankle instability) 및 비골하 부골

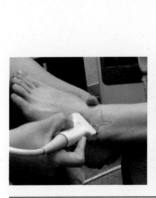
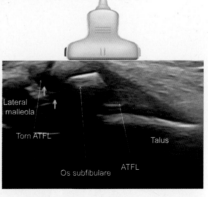

Fig 43. 족관절만성불안정성에서 전거비인대는 대부분 연속성을 가진 저음영의 형태로 나타나며, 그 뚜께는 두껍거나, 얇은 형태의 다양한 소견을 보인다. ATFL, anterior talofibular ligament.

5) 비골건염(peroneal tendinitis)

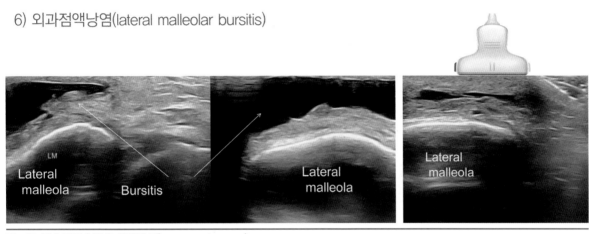

Fig 44. 비골건염은 비골결절(peroneal tubercle) 주변의 단축영상에서 비골건
주변으로 저음영의 fluid collection이 관찰된다.
PL, peroneus longs tendon; PB, peroneus brevis tendon.

6) 외과점액낭염(lateral malleolar bursitis)

Fig 45. 탐촉자를 이용한 압박검사(compression test)

05 아래 하지(Lower leg)

1. 정상소견

1) 장축 영상(long-axis)

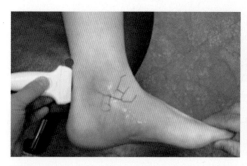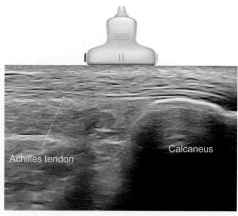

Fig 46. 아킬레스건 부착부의 장축 영상

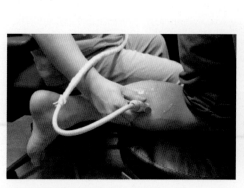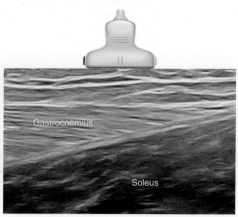

Fig 47. 비복근과 가자미근 경계부의 장축 영상

2) 단축 영상(short-axis)

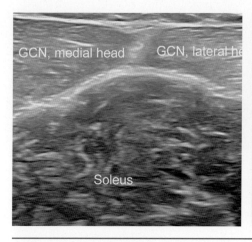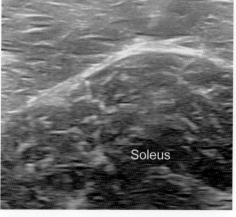

Fig 48. GCN, gastrocnemius muscle.

3) 병적 소견

(1) 비복근 내측두 파열 (tennis leg)

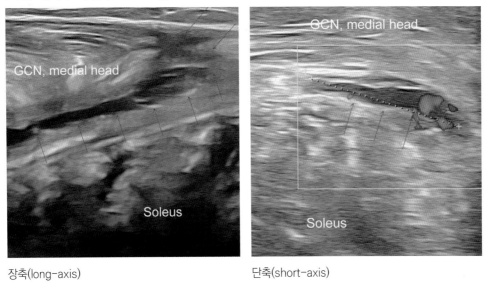

장축(long-axis)

단축(short-axis)

Fig 49. GCN, gastrocnemius muscle.

01 발뒤꿈치(Plantar heel)

1. 정상 소견

1) 단축 영상(short-axis)

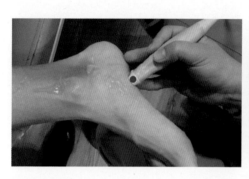

Fig 50. 발가락을 신전 및 굴곡시켜 가며 구조물 확인

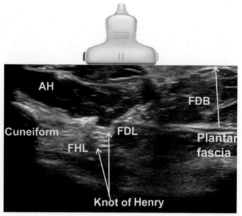

Fig 51. AH, abductor hallucis; FH(D)L, flexor hallucis (digitorum) longus.

 KEY POINT

중족부 주상골(navicular) 부위에서 FDL이 FHL의 위(superficial)로 비스듬하게 지나간다.

2) 장축 영상(long-axis)

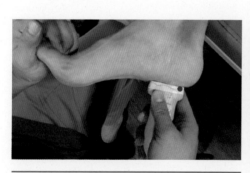

Fig 52. 중족지간 관절(MTP joint)을 신전시킨 상태에서 관찰

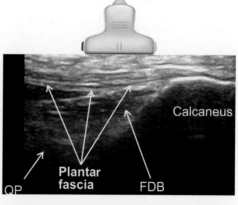

Fig 53. FDB, flexor digitorum brevis; QP, quadratus plantae.

 KEY POINT

정상 족저 근막(plantar fascia)은 uniformly fibrillar한 형태를 보인다. 족저 근막이 종골 융기(calcaneal tuberosity)에 부착하는 부분에서 완만한 곡선 형태를 보이며, 이방성(anisotropy)으로 인해 정상적으로 저음영(hypoechoic) 양상을 보일 수 있다.

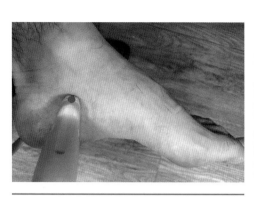

Fig 54. 족근관(tarsal tunnel) 부위에서 구조물을 확인 후 원위부로 가며 신경의 분지를 확인 할 수 있다.

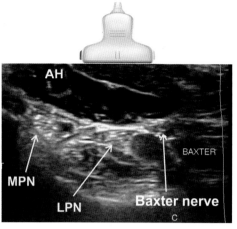

Fig 55. MPN, medial plantar nerve; LPN, lateral plantar nerve.

Fig 56. Baxter's nerve (first branch of the lateral plantar nerve)

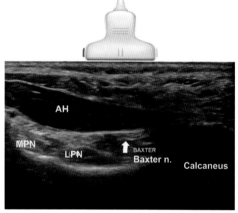

Fig 57. MPN, medial plantar nerve; LPN, lateral plantar nerve.

2. 병적 소견

1) 족저 근막염(plantar fasciitis)

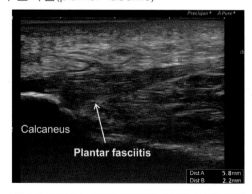

Fig 58. Increased thickness of 5 to 7 mm, 저음영(hypoechogenicity)

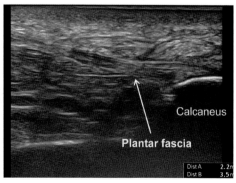

Fig 59. 2 to 4 mm thickness, uniformly fibrillar

2) 족저 섬유종(plantar fibroma)

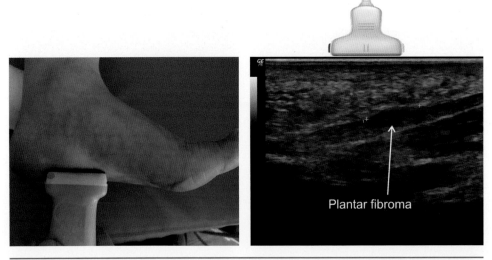

Fig 60. Focal nodular enlargement, uniformly hypoechoic

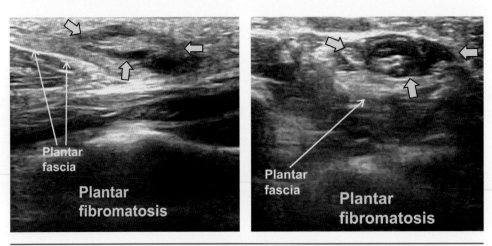

Fig 61. More aggressive pattern, ill-defined border Fig 62. Mixed echotexture, hypervascular pattern

 KEY POINT

족저 섬유종은 족저 근막에 발생하는 양성의 섬유증식형 질환이다. 저음영에서 혼합된 음영(hypo to mixed echogenecity) 양상을 보이며, 이형성(discrete), 방추형(fusiform), 다결절(mutinodular) 형태로 발생한다.

3) Baxter's 신경 포착(Baxter's nerve entrapment)

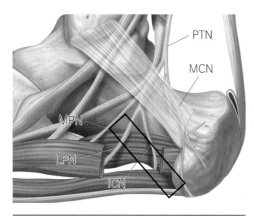

Fig 63. Baxter's nerve (ICN)

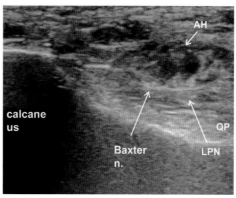

Fig 64. Compression between AH and QP

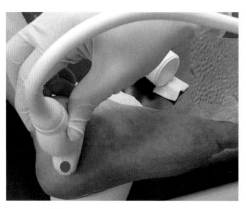

Fig 65. 종골 골절 환자

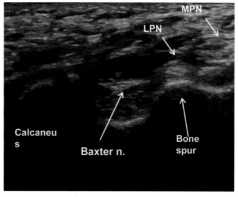

Fig 66. 종골 골절 후 부정 유합된 환자에서 골극 (bone spur)에 의해 압박되어 발생된 경우

KEY POINT

Baxter의 신경 포착은 두 군데에서 잘 발생한다. 첫 번째 부위는 abductor hallucis 근육의 심부 근막과 quadratus plantae 근육의 내측 발바닥 가장자리 사이를 지나갈 때 발생한다. 두 번째 부위는 신경이 내측 종골 융기의 전방부를 따라 원위부로 지나가는 부위에서 발생한다.

02 발바닥 전방(Plantar forefoot)

1. 정상 소견

1) 단축 영상(short-axis)

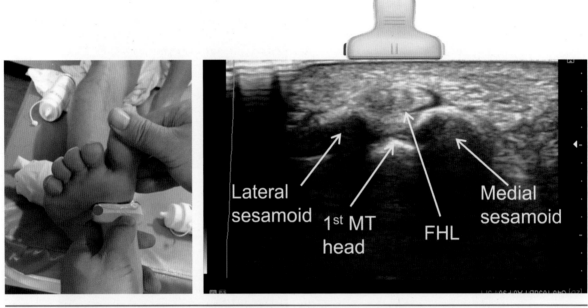

Fig 67. 1st metatarsal condyle and sesamoids

2) 장축 영상(long-axis)

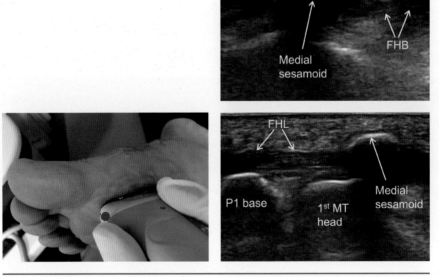

Fig 68. 1st metatarsal & MTP joint

종자골(sesamoid) 근위부에 FHB가 부착되며, 종자골 사이로 FHL이 지나감을 관찰할 수 있다.
FHL, flexor hallucis longus; FHB, flexor hallucis brevis.

2nd MTP joint

족저판(Plantar plate)

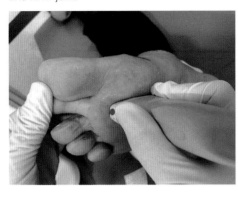

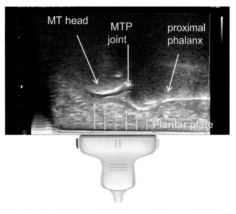

Fig 69. 근위지골 바닥부위에서 기원하는 섬유 연골 구조물(fibrocartilage labrum)

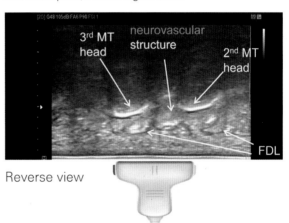

2nd web space, Plantar digital nerve

Reverse view

Fig 70. 중족지관절(MTPJ)을 양측에서 compression 시 neurovascular 구조물이 표층으로 나오는 것을 볼 수 있다. Reverse, 컬러도플러 영상에서 잘 관찰할 수 있다.

2. 병적 소견

1) 지간 신경종(Morton's neuroma)

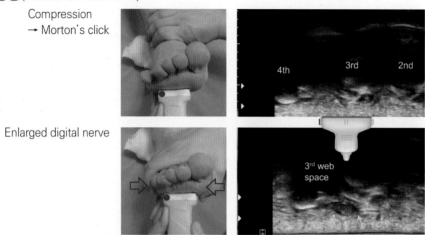

Compression
→ Morton's click

Enlarged digital nerve

Fig 71. 지간 신경종은 압축 시 작아지지 않으며(bursitis와 구분), 도플러 영상에서 작은 혈관들을 동반할 수 있다.

2) 족저각화증(plantar keratosis)

(1) 족저부 사마귀(plantar wart)

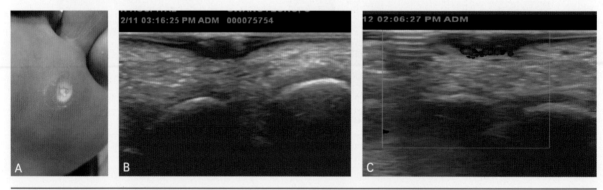

Fig 72. A. 족저부 사마귀의 경우 debridement 후 특징적인 capillary dotting이 보이는게 일반적인데, 그렇지 않은 경우 초음파를 보면 도움이 된다.
    B. Gentle trimming 후에 초음파검사상 보면 fusiform hypoechogenic lesion이 표피와 진피층에 분포해있고
    C. 정상인의 경우 발바닥 피하층에서 볼수 있는 혈관은 정맥이지만, 사마귀의 경우 도플러 영상에서 진피층에 동맥, 정맥 혈관이 집중되어 분포하는 것을 볼 수 있다.

청담튼튼병원 정형외과 조주원 제공

(2) 족저부 굳은살(plantar callus)

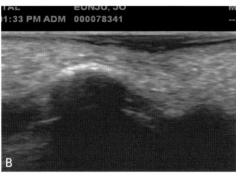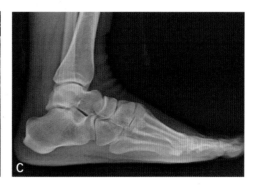

Fig 73. A. 제1중족골두 족저부의 각화증은 대부분 내측 종자골에 의한 경우가 많은데, 진찰소견에서 확인되지 않으면 초음파검사가 도움이 된다.
B. 초음파상 저에코성의 fusiform end가 종자골의 원위부에 위치하고
C. 체중부하방사선상 요족변형이 관찰되어 제1중족골의 배굴절골술 후 치료되었다.

(3) 점액낭 밑의 족저부 굳은살(plantar callus under bursal inflammation)

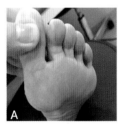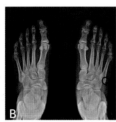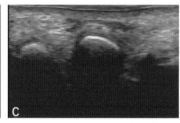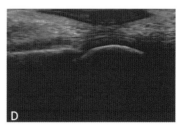

Fig 74. A. 환자 스스로 여러 번 깎아내도 지속적으로 재발
B. 일반 방사선 소견상 제2중족골두 족저부에 굳은살을 만드는 소견(Long 2nd. metatarsal, hallux valgus, forefoot meta-tarsal widening)은 보이지 않는다.
C. 족저부 초음파상 표피와 진피층이 두꺼워져 있지만 정상적인 laminar hyperechogenicity이며 이와 중족골 사이의 공간에서 hypoechogenic bursal inflammation이 관찰된다. 염증이 생긴 점액낭에 의해 이차적으로 callus가 생겼다고 진단한 후 callus가 아닌 bursal inflmmation에 대해 주사치료 후 증상이 완화되었다.
D. 일반적인 callus의 초음파 소견

(4) 족저부 사마귀와 굳은살의 감별진단

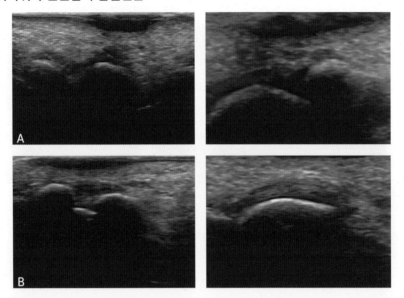

Fig 75. 초음파에서 족저각화증은 표피와 진피를 모두 침범하는 hypoechoic, endophytic structure로 관찰된다. 검사 시 윤활 젤을 충분히 사용하고 접촉하는 압력이 고루 분포되게 하는 것이 좋은 영상을 얻기 위해 중요하다.
A. 사마귀(wart)는 타원의 형태가 표피에서 진피로 급격히 변화되는 양상이며 불규칙한 경계를 보이는 것이 일반적이다.
B. 굳은살(callus)의 경우 타원의 양측 끝이 비슷한 모양이며 서서히 변화하면서 진피층까지 침범되는 것이 특징이다.

3) 족저판 파열(plantar plate tear)

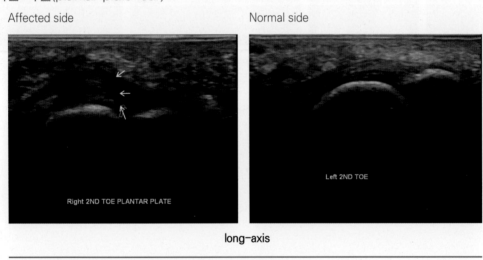

long-axis

Fig 76. 장축 영상에서 발가락을 신전한 상태에서 잘 관찰된다.

03 족 배부(Dorsal foot)

1. 정상 소견

1) 족배 동맥(dorsalis pedis artery)

Color Doppler , Blood flow

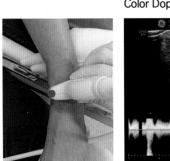 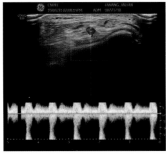

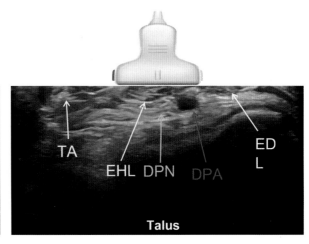

Fig 77. 컬러 도플러 영상을 이용하여 족배 동맥(혈류 파형)을 확인 가능하며, 그 주변의 신경 및 건 구조물 확인할 수 있다.

Fig 78. TA, tibialis anterior; DPN, deep peroneal nerve; DPA, dorsalis pedis artery.

2) 심부 비골 신경 & 표재 비골 신경(deep peroneal nerve & superficial peroneal nerve)

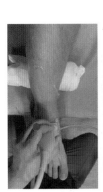 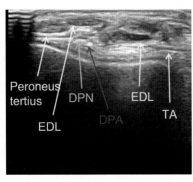 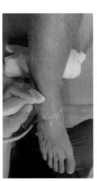 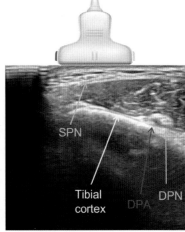

Fig 79. DPN, deep peroneal nerve.

Fig 80. SPN, superficial peroneal nerve.

177

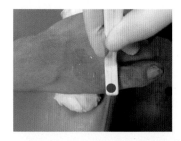

Fig 81. 족부 원위부에서는 하키 스틱형 탐촉자를 이용하면 구조물을 보다 쉽게 관찰할 수 있다.

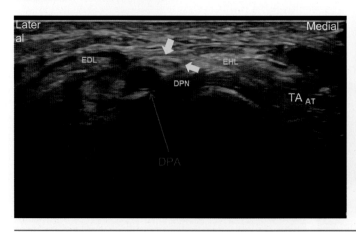
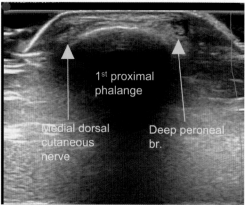

Fig 82. 심부 비골 신경 옆으로 족배 동맥(DPA)이 주행함을 확인할 수 있다. 1st toe dorsal digital nerve

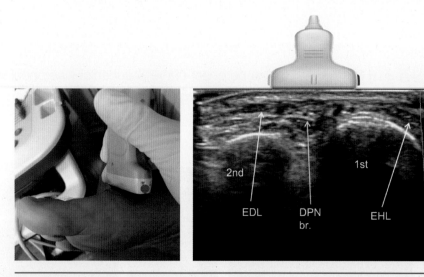

Fig 83. DPN br., deep peroneal nerve dorsal branch.

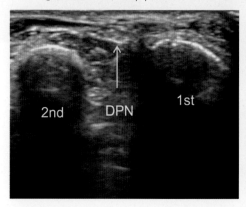
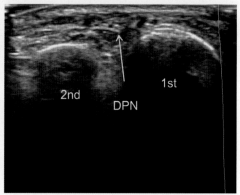

Fig 84. Distal MT area   MT shaft area

3) 신전건(extensor tendon)

(1) 장축 영상(long-axis)

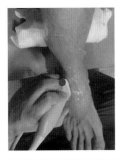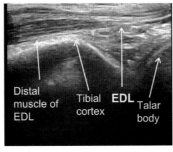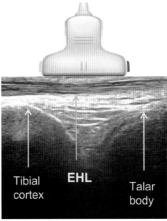

Fig 85. Extensor digitorum (hallucis) longus

(2) 단축 영상(short-axis)

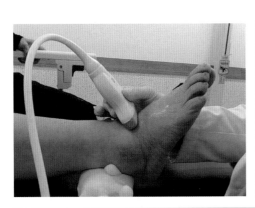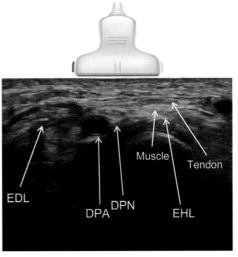

Fig 86. 엄지 및 소족지를 굴곡 신전해 가며 건의 위치의 확인이 가능한다. 근위부에서는 건(tendon) 과 근육 (muscle) 부위가 혼재되어 보인다.

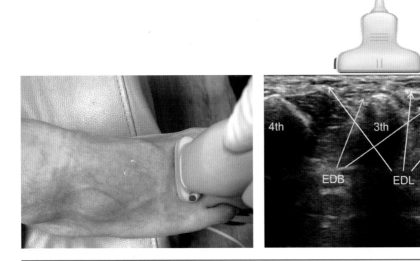

Fig 87. Extensor digitorum longus (brevis)

2. 병적 소견

1) 무지 강직증(hallux rigidus)

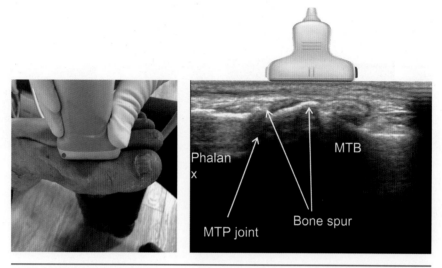

Fig 88. Multiple bony spur, joint narrowing.

2) 활액막염(synovitis, RA)

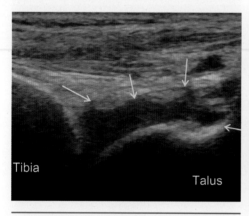

Fig 89. 발목 관절에 저음영(hypechoic)으로 보이는 액체(fluid)가 정상 관절보다 증가된 소견이 보인다.

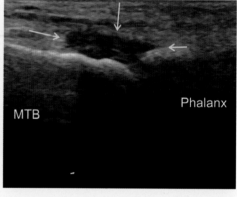

Fig 90. MTP 관절에 joint effusion이 관찰된다.

3) 통풍성 관절염(gouty arthritis)

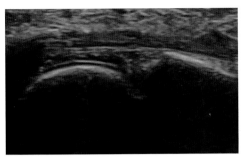

Fig 91. 이중윤곽징후(double contour sign) crystal deposition covers the hyaline carti-lage.

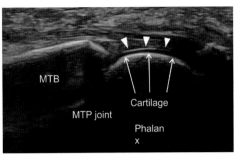

Fig 92. 26/M, Early gout

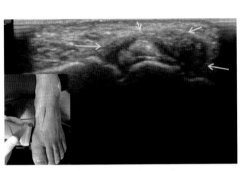

Fig 93. 고음영(hyperechoic), 비균질성(heterog-enous)의 tophus

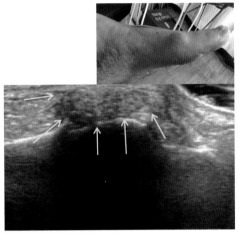

Fig 94. 통풍 결절(gouty tophi)과 관절면 주변의 침식(periarticular erosion) 소견이 관찰됨

4) 결절종(ganglion)

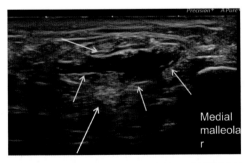

Fig 95. 족근관(tarsal tunnel)에 발생한 결절종 소견 신경을 누르는 소견을 관찰할 수 있다.

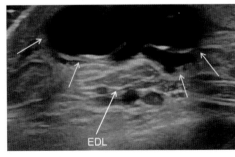

Fig 96. EHL tendon sheath에 발생한 ganglion 소견

5) 소관절의 골극(small joint osteophyte)

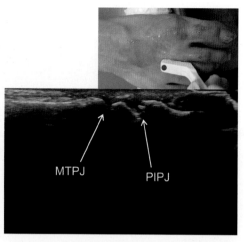

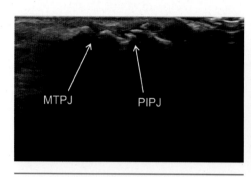

Fig 97. Phalangeal joint osteophyte

Fig 98. Small joint의 narrowing
관절 주위로 osteophyte와 간격 좁혀짐 소견을 볼 수 있다.

6) 중족 관절병증(midfoot arthrosis)

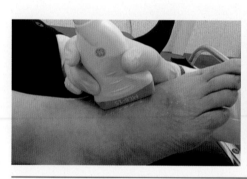

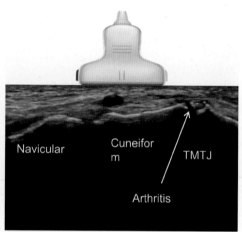

Fig 99. 중중족-족근관절에서 골극 형성 및 불규칙한 관절면을 관찰할 수 있다.
TMTJ, tarsometatarsal joint.

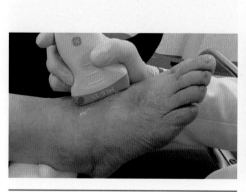

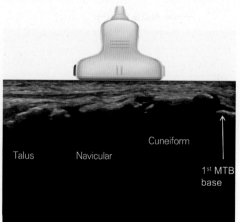

Fig 100. Midfoot joint, multiple osteophyte

7) 섬유점액종(fibromyxoid tumor)

(1) 단축 영상(short-axis)

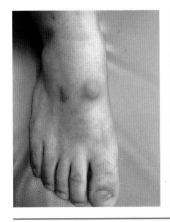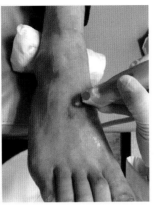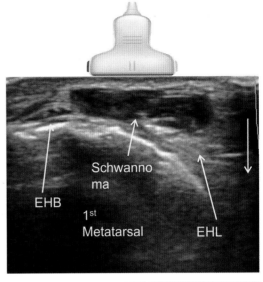

Fig 101. 주변부에 혈종이 동반된 비균질(heterogenous) 종괴가 관찰된다.

EHL(B), extensor hallucis longus (brevis)

(2) 장축 영상(long-axis)

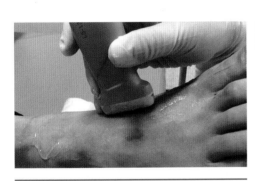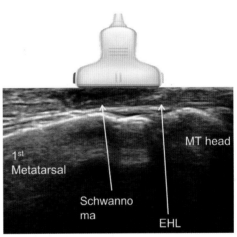

Fig 102. 컬러 도플러 영상을통해 혈관성(vascular-ity) 및 탐촉자를 압박하여 종괴의 성향을 추가로 확인할 수 있다.

Fig 103. EHL, extensor hallucis longus.

Ⅲ. 초음파 가이드 주사요법 (US-guided injection)

1. 족저 근막염(plantar fasciitis)

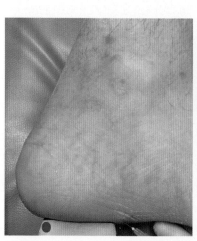

Fig 104. In-plane injection

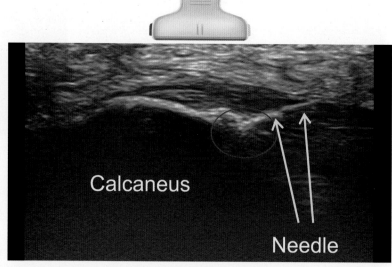

Fig 105. 족저 근막과 종골 피질면 사이에 주사바늘을 진입한다.

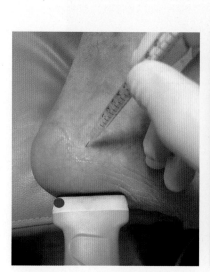

Fig 106. Out-plane injection

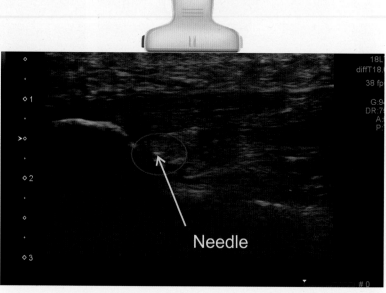

Fig 107. Out-of-plane 에서는 구조물 확인 후 초음파 영상 좌측의 숫자를 통하여 깊이를 확인 후 좌측 그림에서 탐촉자와 병변 사이의 깊이를 예측하여 주사바늘을 진입한다.

2. 관절내 주사-발목 관절(intraarticualr injection-ankle joint)

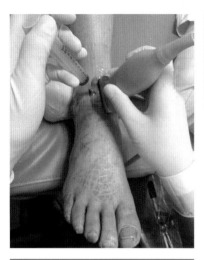

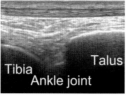

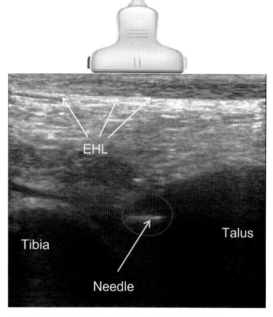

Fig 108. Out-of-plane Injection

Fig 109. 관절강의 위치를 확인 후 주사바늘을 진입한다.

3. 관절내 주사-거골하 관절(intraarticualr injection-subtalar joint)

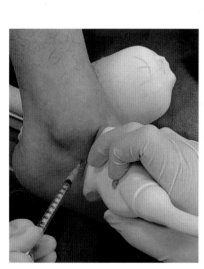

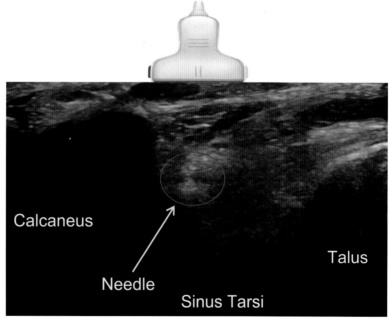

Fig 110. Out-of-plane injection

Fig 111. 탐촉자를 이용하여 거골과 종골 사이에 거골하 관절 확인 후 발목 내측의 재거 돌기(sustentacum tali)를 향해 주사바늘 진입

4. 신경 차단-복재신경(nerve block-saphenous nerve)

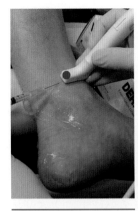
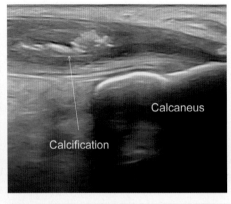
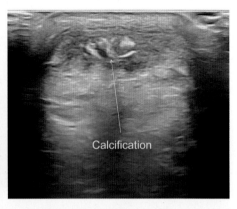

Fig 112. In-plane injection | Fig 113. 하키 스틱형 탐촉자를 이용하여 대복재 정맥 주위에서 복재 신경을 확인 후 시술

5. 신경 차단-천비골신경(nerve block-superficial peroneal nerve)

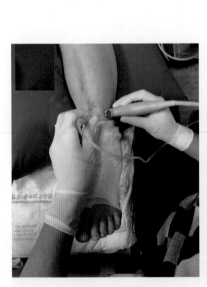
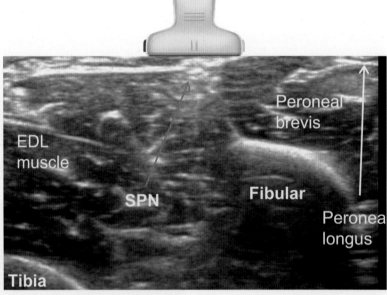

Fig 114. In-plane injection | Fig 115. SPN, superficial peroneal nerve.

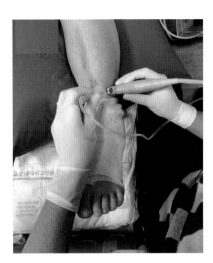

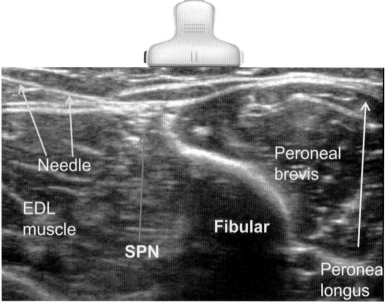

Fig 116. In-plane injection

Fig 117. 표재 비골 신경이 근막을 뚫고 나오는 부위에서 확인 후 시술

6. 신경 차단-비복 신경(nerve block-sural nerve)

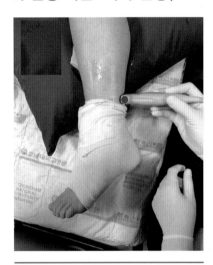

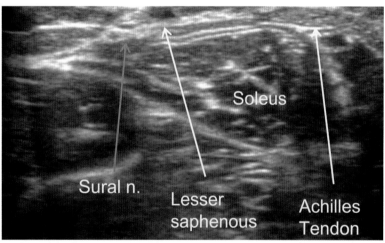

Fig 118. In-plane injection

Fig 119. 소 복재 정맥(Lesser saphenous vein) 주위의 비복 신경 확인 후 시술

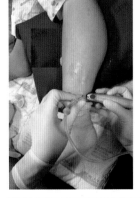

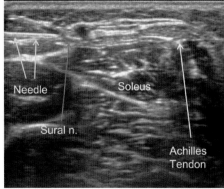

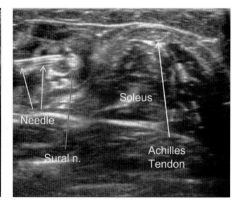

Fig 120. In-plane injection

7. 신경 차단-후경골 신경(nerve block-posterior tibial nerve)

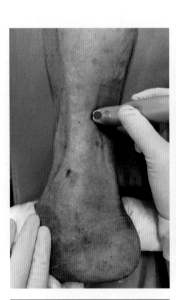

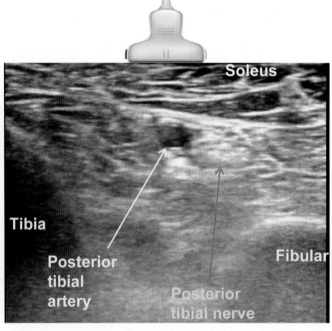

Fig 121. 후경골 동맥(posterior tibial artery)을 먼저 쉽게 찾을 수 있으며, 탐촉자를 근위 및 원위로 이동하며 그 주변에 위치하는 후경골 신경(posterior tibial nerve)를 관찰 할 수 있다.

Fig 122. In-plane injection

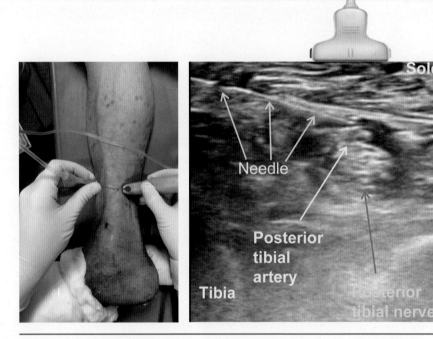

Fig 123. In-plane injection

8. 후경골건 막 주사(posterior tibial tendon sheath injection)

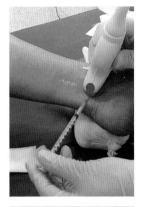
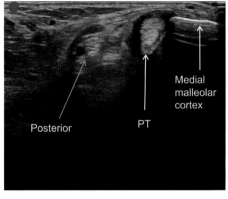
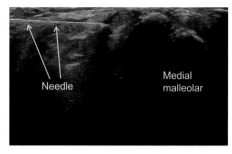

Fig 124. In-plane injection

Fig 125. 후경골건 주위에 저음영의 건초염 소견 보임
PT, posterior tibial tendon

9. 비골건 막 주사(peroneal tendon sheath injection)

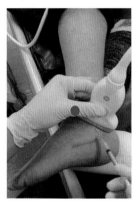
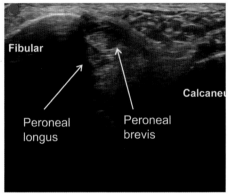
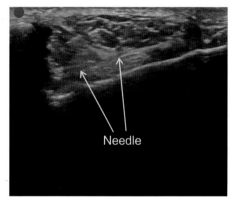

Fig 126. In-plane injection

Fig 127. Tendinosis of peroneal tendon

10. 부주상골 증후군(accessory navicular syndrome)

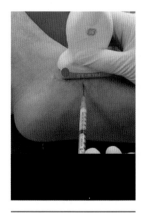
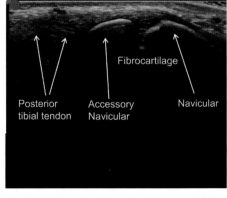
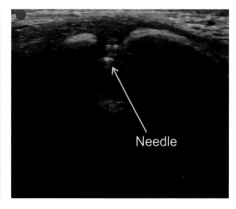

Fig 128. Out-of-plane injection

Fig 129. Out-of-plane injection for accessory navicular syndrome

11. 아킬레스건 내 혈종(Intra-Achilles tendon hematoma)

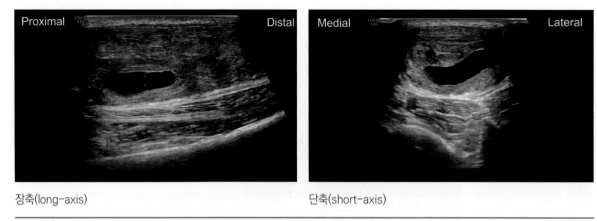

장축(long-axis)   단축(short-axis)

Fig 130. Achilles tendon rupture 환자에서 보존적 치료 후 건 내부에 발생한 fluid collection 소견

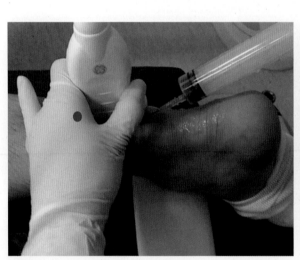

Fig 131. Aspiration of hematoma

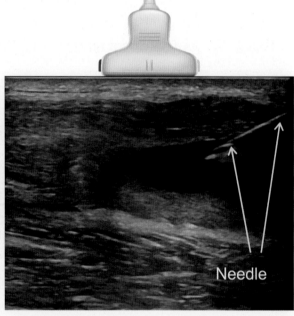

Fig 132. In-plane insertion

12. 아킬레스건염 유착박리주사요법(brisement of Achilles tendinitis)

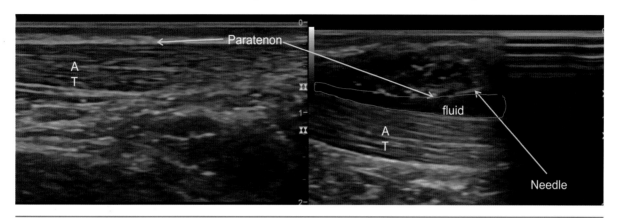

Fig 133. 보존적 치료에도 호전되지 않는 비부착성 아킬레스 건염 및 부건염에서 증상 완화를 위해 아킬레스건 주위로 액체를 주입하여 brisement을 시행할 수 있다. In-plane approach 방법으로 아킬레스건 후방에서 원위에서 근위 방향으로 needle을 삽입하여 주사바늘 끝을 아킬레스건과 피하지방조직 사이에 위치하게 한 다음 용액을 주입한다. 이때 건내로 주사가 되지 않게 즉 아킬레스건을 찌르지 않게 주의를 기울여 가며 주입하여 유착부위를 ballooning시킨다. 용액은 생리식염수 2 cc와 lidocaine 2 cc를 섞은 용액을 사용한다.

전주본병원 송하헌 제공

13. 후종골점액낭염(retrocalcaneal bursitis)

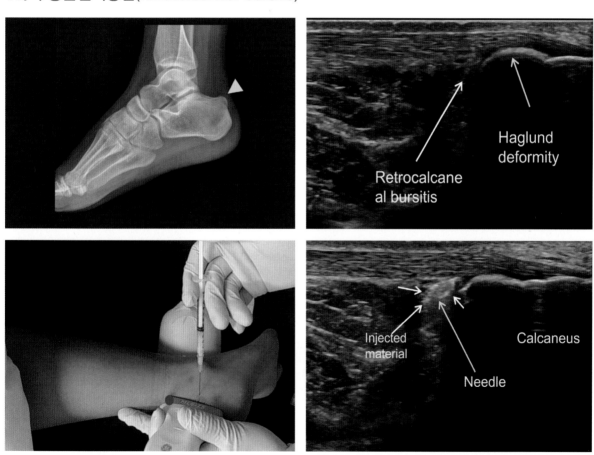

Fig 134. Out-of-plane injection

Fig 135. 고음영 양상의 crystal을 확인하여 바른 위치로 들어가고 있음을 확인할 수 있다.

PART

10 소아 Pediatrics

■ ■ 이순혁, 장우영, 이시욱

영유아기 고관절은 골 조직보다 연골 조직이 더 많은 부분을 차지하고 있기 때문에 단순 방사선 검사보다는 초음파 검사가 훨씬 더 많은 정보를 제공하며, 실시간으로 동적인 검사를 할 수 있기 때문에 현재 4개월 이전의 영유아기 DDH 진단 방법의 표준적인 방법입니다.
신체 검진에서 이상 소견이 관찰되거나, DDH의 위험인자[DDH의 가족력, 둔위 태향(breech position)]가 있을 때에는 초음파 검사를 시행해야 합니다. 초음파 검사에서 이상 소견이 관찰된 환아는 치료 후에도 고관절 이형성증이 발생할 가능성이 높기 때문에 성장이 완료될 때까지 외래 추시가 필요합니다.

01 유아 고관절 이형성증 진단을 위한 초음파 검사

1) 환아의 자세(position of Infant)

   (1) 조용하고 어두운 조명 환경

   (2) 특별한 베개를 이용한 측와위 또는 앙와위

   (3) 테이프 미착용의 기저귀 유지

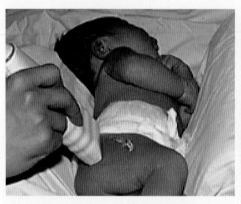

Fig 01. 측와위

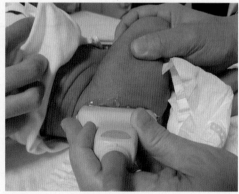

Fig 02. 앙와위

2) 탐촉자의 방향(orientation of probe)

근위 방향의 표지자

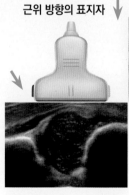

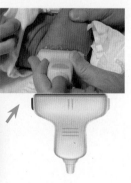

3) 검사 방법

(1) 정적(Static)

① 관상면 굴곡 또는 편상태(coronal plane with hip flexion or extension)

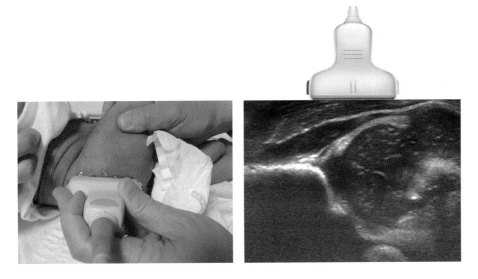

i) 초음파 해부학(ultrasound anatomy of infant hip)

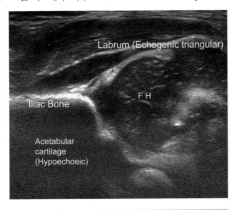

Fig 03. FH, femoral head.

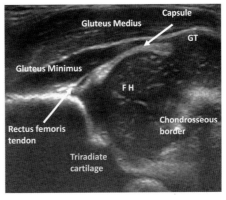

Fig 04. FH, femoral head; GT, Greater tro-chanter.

ii) 표준 평면(standard plane)

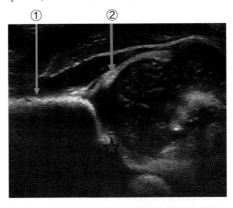

Fig 05. 3가지 랜드마크(3 landmarks)

    A. 직선의 장골(straight ilium)
    B. 비구순(acetabular labrum)
    C. 장골 골화 중심(Os ilium)

iii) 비구 측정(acetabular measurement)

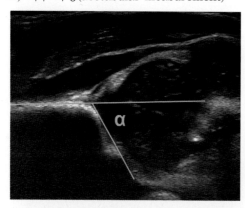

Fig 06. α 각도(Angle α): 골성 비구
(bony acetabulum)

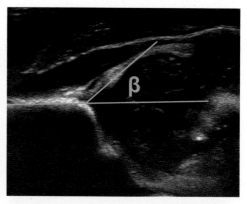

Fig 07. β 각도(Angle β): 연골성 비구
(cartilage acetabulum)

Graf 분류(Graf classification)

Class	Angle α	Angle β	Description
I	〉60°	〈55°	Normal
IIa	50~60°	55~77°	Immature(〈 3 M)
IIb	50~60°	55~77°	〉3 M
IIc	43~49°	〉77°	Acetabular deficiency
IId	43~49°	〉77	Everted labrum
III	〈43°	〉77°	Everted labrum
IV	Unmeasurable		Dislocated

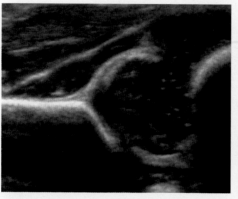

Fig 08. Type IIa: Immature

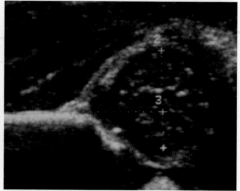

Fig 09. Type IIc: Dysplasia

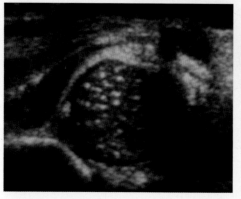

Fig 10. Type IId: Decentered

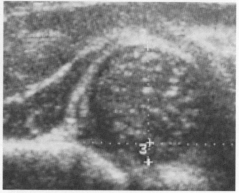

Fig 11. Type III: Dislocation

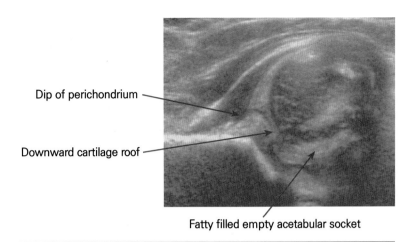

Dip of perichondrium

Downward cartilage roof

Fatty filled empty acetabular socket

Fig 12. Type IV: Dislocated

(2) 동적(dynamic)

① 관상면 굴곡 부하 검사(coronal plane flexion stress test)

ⅰ) 초음파 검사 중에 Barlow 테스트

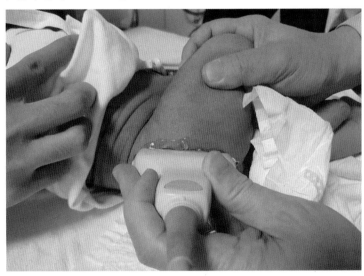

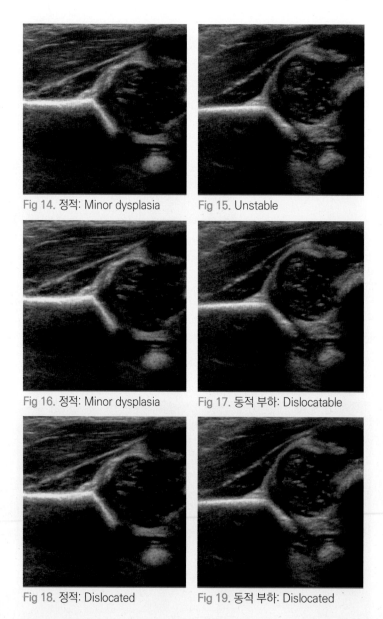

Fig 14. 정적: Minor dysplasia   Fig 15. Unstable

Fig 16. 정적: Minor dysplasia   Fig 17. 동적 부하: Dislocatable

Fig 18. 정적: Dislocated   Fig 19. 동적 부하: Dislocated

② 시상면 굴곡 부하 검사(sagittal plane flexion stress test)

   ⅰ) 고관절 외전과 내전

     – 고관절 내전 상태에서 Barlow 테스트

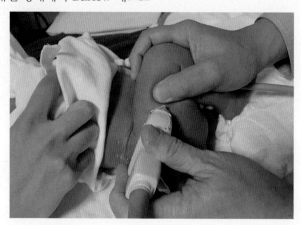

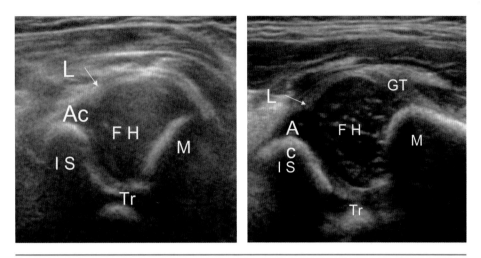

Fig 20. FH, Femoral Head; IS, Ischium; GT, Greater Trochanter; Tr, Triradiate cartilage; Ac, Acetabular cartilage; L, Labrum.

– 고관절 내전 상태에서 Barlow 테스트

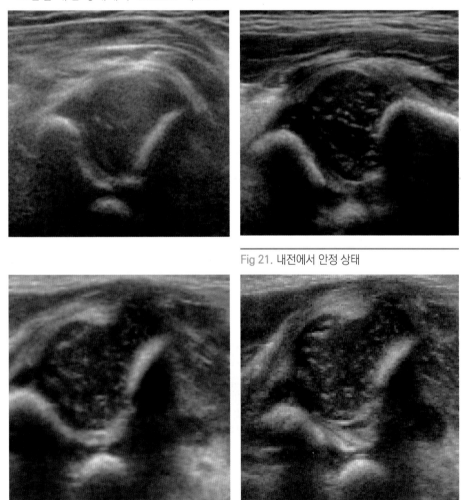

Fig 21. 내전에서 안정 상태

Fig 22. 가만히 있을 때는 정복됨

Fig 23. 부하시 불안정

소아 요골두 아탈구는 1~4세에서 팔을 잡아 당기는 손상에 의하여 주로 발생하는 것으로 알려져 있으나 4세 이후와 비전형적 손상에 의해서도 흔히 발생합니다.
전완은 회내전되고 주관절은 약간 굴곡된 채, 이환된 팔을 움직이지 못하며 손을 대지 못하게 하게 하는 양상을 보이면, 초음파 검진으로 요골두 아탈구에 대한 감별진단을 할 수 있습니다.

02 소아 요골두 탈구(pulled elbow)

1) 전완부의 자세(Position of forearm)

(1) 팔꿈치는 가능한 편 상태

(2) 탐지자(probe)를 radiocapitellar joint의 앞부분에 종방향으로 위치

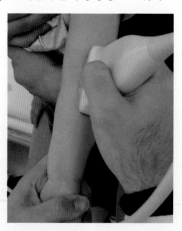

Fig 24. 전방 종방향 스캔
(anterior longitudinal scan)

2) 탐지자의 방향(orientation of probe)

근위 방향의 표식자 ↓

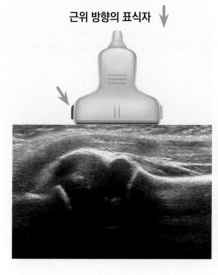

3) 초음파 해부학(ultrasound anatomy of pediatric elbow)

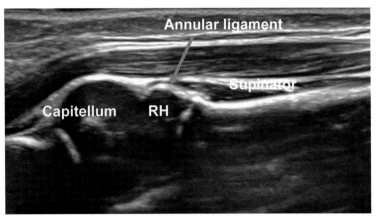

Fig 25. RH, radial head.

4) 정복 전(before reduction)

(1) 환상 인대 소실(absent annular ligament)

요골두 탈구

정상

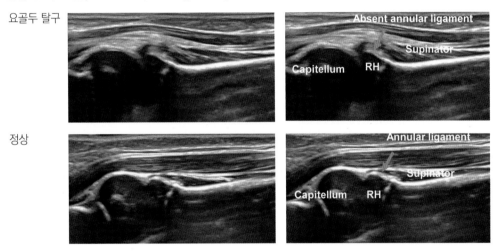

Fig 26. RH, radial head.

(2) radiocaputellar 관절에 갇힌 supinator(Entrapped supinator muscle into the radiocapitellar joint)

요골두 탈구

정상

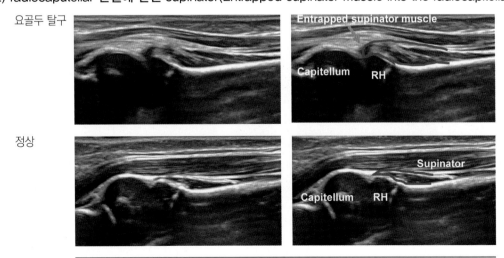

Fig 27. RH, radial head.

(3) Radiocaputellar 관절 안으로 커지고 깊어진 활액막 테두리
(enlarged synovial fringe deep into the the radiocapitellar joint)

요골두 탈구

정상

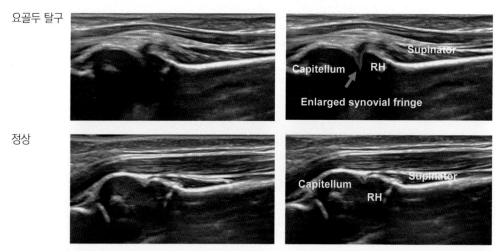

Fig 28. RH, radial head.

(4) 구상와(Coronoid fossa) 와 주두와(olecranon fossa)의 부종(effusion)

요골두 탈구

정상

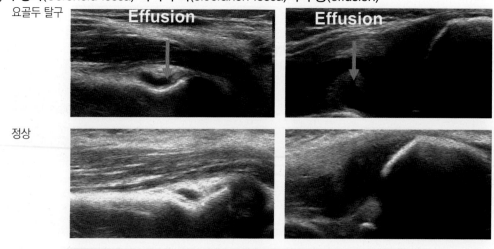

Fig 29.

5) 정복 후(after reduction)

(1) 붓기가 있는 풀린 supinator 근육의 날카로운 모서리
(sharp edge of disentangled supinator muscle with swelling)

요골두 탈구

정상

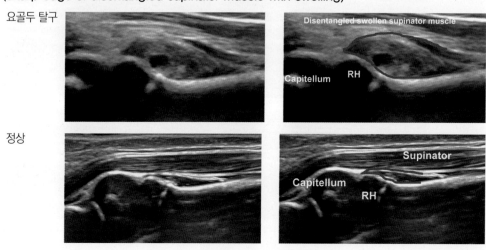

Fig 30.

(2) 회복된 환상 인대(restored annular ligament)

요골두 탈구

정상

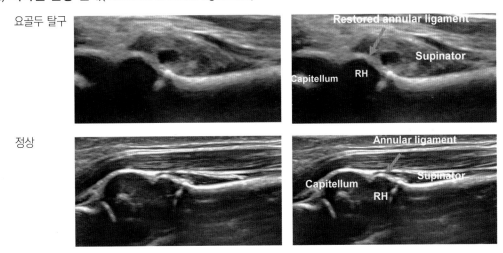

Fig 31.

(3) Supinator 근육 아래의 부종(subsupinator effusion)

요골두 탈구

정상

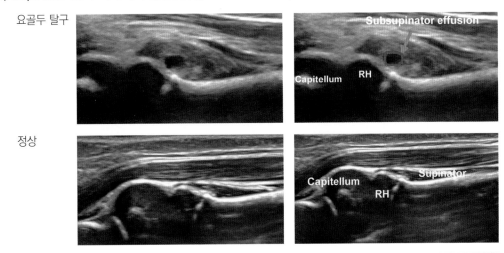

Fig 32.

찾아보기

INDEX

ㅇ

ㅈ

A

B

C

L

O

P

R

W

기타